펼쳐 보면 느껴집니다

단 한 줄도 배움의 공백이 생기지 않도록
문장 한 줄마다 20년이 넘는
해커스의 영어교육 노하우를 담았음을

덮고 나면 확신합니다

수많은 선생님의 목소리와
정확한 출제 데이터 분석으로 꽉 찬
교재 한 권이면 충분함을

해커스북 중·고등
HackersBook.com

해커스 보카
중학 시리즈가 특별한 이유

쉽고 빠르게 외울 수 있어요!

1 연상학습을 돕는 **주제별 구성**

2 이미지를 통해 저절로 외워지는 **Picture Review**

중학 기초

중학 필수

중학 고난도

오래 기억할 수 있어요!

3 **앞서 배운 단어가 포함된 예문**으로 자연스러운 반복학습

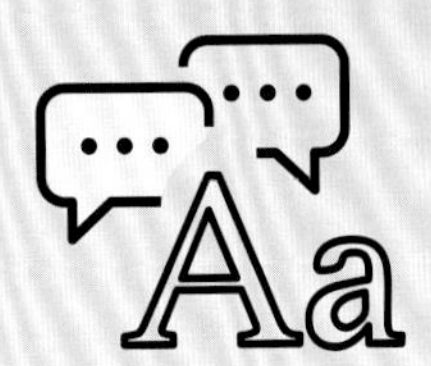

4 효과적인 복습이 가능한 **미니 암기장 &누적 테스트북**

해커스 어학연구소 자문위원단 3기

교과서 및 교육부 권장 어휘 완벽 반영

해커스 보카

중학 기초

해커스 어학연구소

목차

SECTION 1 People 사람

SECTION 2 Body & Mind 몸과 마음

SECTION 3 Daily Life 일상 생활

SECTION 4 Leisure & Culture 여가와 문화

SECTION 5 Things & Conditions 사물과 상태

SECTION 6 Nature 자연

이 책의 구성과 특징

40일 만에 1,000단어 완성

예비중 ~ 중 1 필수 단어 · 숙어 1,000개를 40일 만에 완성할 수 있어요.

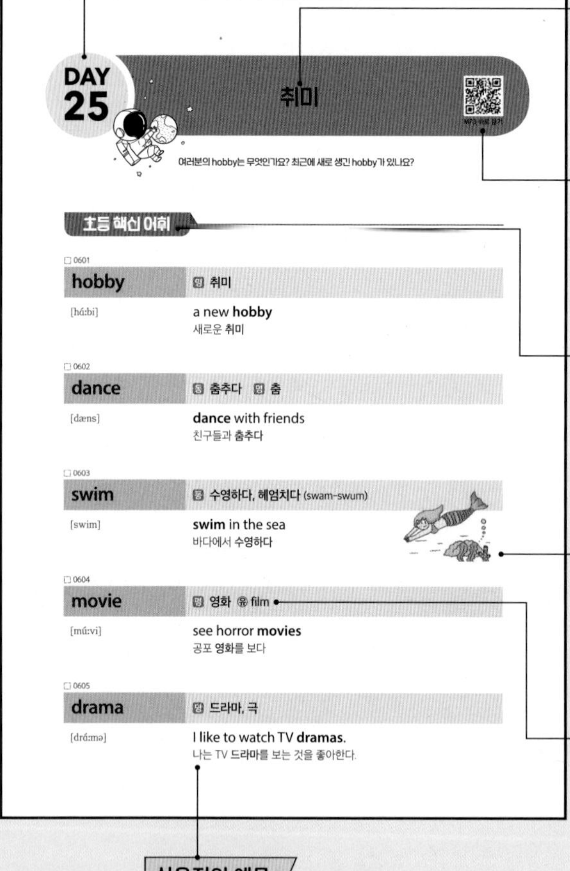
DAY 25 취미

여러분의 hobby는 무엇인가요? 최근에 새로 생긴 hobby가 있나요?

초등 핵심 어휘

0601	**hobby** [há:bi]	명 취미 a new **hobby** 새로운 **취미**
0602	**dance** [dæns]	동 춤추다 명 춤 **dance** with friends 친구들과 **춤추다**
0603	**swim** [swim]	동 수영하다, 헤엄치다 (swam-swum) **swim** in the sea 바다에서 **수영하다**
0604	**movie** [mú:vi]	명 영화 유 film see horror **movies** 공포 **영화**를 보다
0605	**drama** [drá:mə]	명 드라마, 극 I like to watch TV **dramas**. 나는 TV **드라마**를 보는 것을 좋아한다.

연상 암기가 가능한 주제별 학습

연관된 단어끼리 모아 학습할 수 있는 주제별 구성으로 연상 작용을 통해 더욱 쉽게 암기할 수 있어요.

QR코드로 바로 듣는 MP3

단어와 뜻, 예문이 포함된 3가지 버전의 MP3를 QR코드를 통해 쉽게 들을 수 있어요.

체계적인 수준별 학습

한 Day 내에서 쉬운 단어부터 어려운 단어 순서대로 학습할 수 있도록 난이도별로 배치하여 수준별 학습이 가능해요.

이미지 연상을 도와주는 삽화

단어의 의미를 직관적으로 표현한 삽화를 통해 단어의 뜻을 쉽게 떠올리고 기억할 수 있어요.

어휘력을 높이는 추가 어휘

표제어와 관련된 유의어/반의어/파생어를 통한 확장 학습으로 어휘력을 높일 수 있어요.

실용적인 예문

자주 쓰이는 실용적인 표현들을 활용한 예문을 수록해 효과적으로 학습할 수 있어요.

***교재에 사용된 약호**

명 명사 동 동사 형 형용사 부 부사 전 전치사 접 접속사 대 대명사

유 유의어 반 반의어 복 복수형 + 파생어

Daily Test

[01~05] 단어와 뜻을 알맞은 것끼리 연결하세요.

01 person • • ⓐ 이름
02 kid • • ⓑ 여왕
03 name • • ⓒ 왕자
04 prince • • ⓓ 사람
05 queen • • ⓔ 아이

[06~15] 영어는 우리말로, 우리말은 영어로 쓰세요.

06 people	________	11 좋은	________
07 king	________	12 사랑하는	________
08 age	________	13 어른	________
09 gentleman	________	14 여성	________
10 man	________	15 남편	________

[16~20] 우리말과 같은 뜻이 되도록 빈칸에 알맞은 단어를 쓰세요.

16 그의 미래의 아내 his future ________
17 나의 엄마를 찾다 ________ my mom
18 그 여자는 젊다. The ________ is young.
19 나는 십 대가 되었다. I became a(n) ________.
20 Mary가 곧 나타날 것이다. Mary will ________ soon.

Daily Test

내신 시험 유형을 반영한 Daily Test를 통해 단어 실력 향상은 물론 실전 감각을 키울 수 있어요.

Picture Review

이미지를 통해 앞서 배운 단어를 복습하면서 단어의 뜻을 확실하게 각인시킬 수 있어요.

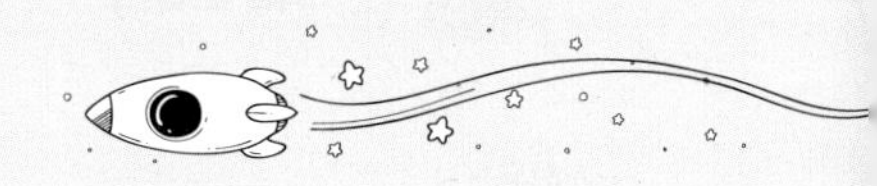

추가 학습 자료로 어휘 실력 업그레이드!

반복 학습으로
단어를
더 오래 기억하게 해주는
누적 테스트북

간편하게
언제 어디서나
단어를 외울 수 있는
미니 암기장

성향별 맞춤 학습플랜

성향에 따라 학습하기

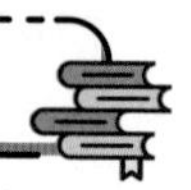

"난 꼼꼼하게 전부 다 외울 거야!"

1회독

매일 목표를 정해서 해당 범위의 단어와 뜻을 외워보세요. 뜻을 외운 뒤에는 예문 속에서 단어의 쓰임을 확인하고 추가 어휘와 표현도 함께 학습하세요. 암기가 끝나면 Daily Test로 외운 내용을 꼼꼼히 확인하고 틀린 단어는 단어 위의 체크박스에 표시해두세요.

2회독

1회독을 하면서 헷갈리거나 틀렸던 단어들을 중심으로 복습하세요. 홈페이지에 있는 다양한 시험지도 프린트해서 활용해보세요.

"난 짧은 시간만 집중해서 외울 거야!"

1회독

별책으로 제공되는 미니 암기장을 들고 다니며 이동하는 시간, 남는 시간을 활용해 학습해보세요. 암기가 끝나면 Daily Test 문제를 풀어보고, 틀리거나 어려웠던 단어는 잘 표시해두세요.

2회독

틀린 단어나 헷갈렸던 단어를 중심으로 예문, 삽화, Picture Review를 확인하면서 복습해보세요.

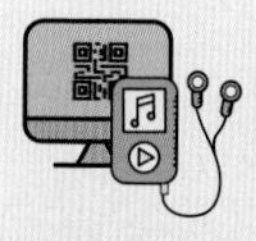

"난 다양한 감각을 활용해서 외울 거야!"

1회독

QR코드를 찍어 학습할 부분의 '표제어' 파일을 틀고 발음을 들으며 공부하세요. 잘 외웠는지 확인할 때는 '표제어 + 뜻' 파일을 틀고 내가 떠올린 뜻이 맞는지 바로 확인하세요. 삽화와 Picture Review를 통해 이미지로 다시 한번 체크!

2회독

'표제어 + 뜻 + 예문' MP3 파일을 틀어서 예문 속에서 외운 단어의 뜻을 확인한 다음, 예문 영작 테스트를 프린트해서 빈칸을 채워보세요.

"난 과학적으로 검증된 방법으로 외울 거야!"

단어를 잊어버리는 주기에 맞춰 학습해보세요.

1회독

단어의 뜻을 중심으로 암기하고 10분 뒤에 Daily Test로 외운 단어를 확인하세요.

2회독

일주일 후, 미니 암기장으로 뜻을 가리고 얼마나 기억하는지 확인해보세요. 틀린 단어를 꼼꼼히 체크하고 복습하세요.

복습

한 달 후, 누적 테스트북을 펴서 외운 단어를 확인하세요. 틀린 단어는 단어 위의 체크박스에 표시해두고 반복해서 복습하세요.

★ 학습일 또는 학습 진행 상황을 자유롭게 기록해보세요.

	1회독	2회독
DAY 01		
DAY 02		
DAY 03		
DAY 04		
DAY 05		
DAY 06		
DAY 07		
DAY 08		
DAY 09		
DAY 10		
DAY 11		
DAY 12		
DAY 13		
DAY 14		
DAY 15		
DAY 16		
DAY 17		
DAY 18		
DAY 19		
DAY 20		

	1회독	2회독
DAY 21		
DAY 22		
DAY 23		
DAY 24		
DAY 25		
DAY 26		
DAY 27		
DAY 28		
DAY 29		
DAY 30		
DAY 31		
DAY 32		
DAY 33		
DAY 34		
DAY 35		
DAY 36		
DAY 37		
DAY 38		
DAY 39		
DAY 40		

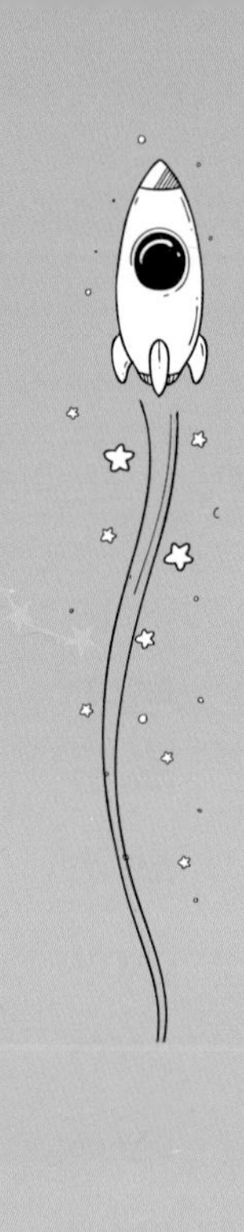

.ON 1

People

사람

DAY 01 사람

MP3 바로 듣기

오늘도 웃으며 good한 하루를 시작해볼까요? :)

초등 핵심 어휘

☐ 0001

name 명 이름

[neim]

a great **name**
좋은 **이름**

☐ 0002

boy 명 소년, 남자아이

[bɔi]

a cute **boy**
귀여운 **소년**

☐ 0003

girl 명 소녀, 여자아이

[gəːrl]

a little **girl**
어린 **소녀**

☐ 0004

man 명 남자 복 men

[mæn]

The **man** is young.
그 **남자**는 젊다.

☐ 0005

woman 명 여자 복 women

[wúmən]

a tall **woman**
키가 큰 **여자**

□ 0006

king

명 왕

[kiŋ]

the **king** of Spain
스페인의 **왕**

+ kingdom 명 왕국

□ 0007

queen

명 여왕

[kwi:n]

the **queen** of England
영국의 **여왕**

□ 0008

good

형 좋은, 훌륭한

[gud]

a **good** friend
좋은 친구

□ 0009

bad

형 나쁜, 안 좋은

[bæd]

really **bad**
정말 **나쁜**

+ badly 부 나쁘게

□ 0010

show up

나타나다

She did not **show up** yesterday.
그녀는 어제 **나타나지** 않았다.

중1 필수 어휘

□ 0011

age

명 나이

[eidʒ]

the boy's **age**
그 소년의 **나이**

□ 0012

adult | **명** **어른, 성인**

[ədʌ́lt]

He is an **adult.**
그는 **어른**이다.

□ 0013

kid | **명** **아이**

[kid]

two **kids**
두 명의 **아이들**

□ 0014

child | **명** **아이, 어린이** 복 children

[tʃaild]

The **child** is smart.
그 **아이**는 똑똑하다.

□ 0015

prince | **명** **왕자**

[prins]

Prince William
William **왕자**

□ 0016

princess | **명** **공주**

[prínses]

a **princess** from India
인도에서 온 **공주**

□ 0017

lady | **명** **여성, 숙녀**

[léidi]

a beautiful **lady**
아름다운 **여성**

□ 0018

gentleman | **명** **신사**

[dʒéntlmən]

a perfect **gentleman**
완벽한 **신사**

□ 0019

husband | 명 남편

[hʌ́zbənd]

He is my **husband.**
그는 내 **남편**이다.

□ 0020

wife | 명 아내

[waif]

She is my **wife.**
그녀는 내 **아내**이다.

□ 0021

person | 명 사람, 개인

[pə́:rsn]

a kind **person**
친절한 **사람**

□ 0022

people | 명 사람들

[pí:pl]

many **people**
많은 **사람들**

□ 0023

dear | 형 사랑하는, 소중한

[diər]

my **dear** friend
내 **사랑하는** 친구

□ 0024

teenager | 명 십 대

[tí:nèidʒər]

I am a **teenager.**
나는 **십 대**이다.

□ 0025

look for | ~를 찾다, 구하다

look for a new friend
새로운 친구를 **찾다**

Daily Test

[01~05] 단어와 뜻을 알맞은 것끼리 연결하세요.

01 person • • ⓐ 이름

02 kid • • ⓑ 여왕

03 name • • ⓒ 왕자

04 prince • • ⓓ 사람

05 queen • • ⓔ 아이

[06~15] 영어는 우리말로, 우리말은 영어로 쓰세요.

06 people ____________

07 king ____________

08 age ____________

09 gentleman ____________

10 man ____________

11 좋은 ____________

12 사랑하는 ____________

13 어른 ____________

14 여성 ____________

15 남편 ____________

[16~20] 우리말과 같은 뜻이 되도록 빈칸에 알맞은 단어를 쓰세요.

16 그의 미래의 아내 his future ____________

17 나의 엄마를 찾다 ____________ my mom

18 그 여자는 젊다. The ____________ is young.

19 나는 십 대가 되었다. I became a(n) ____________.

20 Mary가 곧 나타날 것이다. Mary will ____________ soon.

Picture Review

사진과 함께 오늘 배운 단어를 다시 기억해보세요.

DAY 02 가족

Family는 이 세상에서 나를 가장 사랑해주는 존재랍니다.

초등 핵심 어휘

□ 0026

family [fǽməli]

명 가족

my **family**
나의 **가족**

□ 0027

mother [mʌ́ðər]

명 어머니, 엄마

She is my **mother**.
그녀는 내 **어머니**이다.

□ 0028

father [fɑ́ːðər]

명 아버지, 아빠

His **father** is tall.
그의 **아버지**는 키가 크다.

□ 0029

sister [sístər]

명 언니, 누나, 여동생

her little **sister**
그녀의 **여동생**

□ 0030

brother [brʌ́ðər]

명 오빠, 형, 남동생

his **brother**
그의 **형**

□ 0031

baby 명 아기

[béibi]

a cute **baby**
귀여운 **아기**

□ 0032

son 명 아들

[sʌn]

a gift for his **son**
그의 **아들**을 위한 선물

□ 0033

daughter 명 딸

[dɔ́:tər]

my **daughter**'s room
내 **딸**의 방

□ 0034

pet 명 반려동물

[pet]

I have a **pet**.
나는 **반려동물**이 있다.

□ 0035

care for ~를 돌보다

care for a little baby
어린 아기를 **돌보다**

중1 필수 어휘

□ 0036

raise 동 기르다; 올리다, 높이 들다

[reiz]

raise a child
아이를 **기르다**

□ 0037

love

명 사랑 동 사랑하다

[lʌv]

fall in **love**
사랑에 빠지다

+ lovely 형 사랑스러운

□ 0038

home

명 집, 가정 부 집으로, 집에

[houm]

at **home**
집에서

□ 0039

live

동 살다 형 [laiv] 생생한

[liv]

live together
함께 **살다**

□ 0040

life

명 삶, 인생

[laif]

a happy **life**
행복한 **삶**

□ 0041

parent

명 (-s) 부모님

[pɛ́ərənt]

They are my **parents.**
그들은 나의 **부모님**이다.

□ 0042

uncle

명 삼촌

[ʌ́ŋkl]

my **uncle**'s home
나의 **삼촌**의 집

□ 0043

aunt

명 고모, 이모

[ɑːnt]

We stayed with our **aunt.**
우리는 우리 **고모**와 함께 지냈다.

□ 0044

cousin 명 사촌

[kʌ́zn]

young **cousins**
어린 **사촌들**

□ 0045

grandfather 명 할아버지

[grǽndfɑ̀:ðər]

my **grandfather**'s life
나의 **할아버지**의 삶

□ 0046

grandmother 명 할머니

[grǽndmʌðər]

His **grandmother** is wise.
그의 **할머니**는 현명하다.

□ 0047

twin 명 (-s) 쌍둥이

[twin]

They are **twins.**
그들은 **쌍둥이**다.

□ 0048

couple 명 부부, 커플; 한 쌍

[kʌ́pl]

an old **couple**
늙은 **부부**

□ 0049

marry 동 결혼하다

[mǽri]

The couple will **marry.**
그 커플은 **결혼할** 것이다.

□ 0050

each other 서로

help **each other**
서로 돕다

Daily Test

[01~05] 단어와 뜻을 알맞은 것끼리 연결하세요.

01 son	●	● ⓐ 어머니
02 brother	●	● ⓑ 오빠, 남동생
03 mother	●	● ⓒ 살다, 생생한
04 live	●	● ⓓ 사촌
05 cousin	●	● ⓔ 아들

[06~15] 영어는 우리말로, 우리말은 영어로 쓰세요.

06 daughter ____________

07 home ____________

08 marry ____________

09 life ____________

10 grandfather ____________

11 아버지 ____________

12 언니, 여동생 ____________

13 기르다, 올리다 ____________

14 삼촌 ____________

15 부부, 한 쌍 ____________

[16~20] 우리말과 같은 뜻이 되도록 빈칸에 알맞은 단어를 쓰세요.

16 서로를 보다 look at ____________

17 나의 가족과 떨어져 지내다 stay away from my ____________

18 우리 할머니가 나를 돌볼 것이다. My grandmother will ____________ me.

19 그의 부모님은 키가 크다. His ____________ are tall.

20 그녀는 나의 이모이다. She is my ____________.

Picture Review

사진과 함께 오늘 배운 단어를 다시 기억해보세요.

DAY 03

친구와 이웃

오늘은 또 어떤 fun한 일들이 기다리고 있을까요? :)

초등 핵심 어휘

□ 0051

friend [frend]

명 친구

my best **friend**
나의 절친한 **친구**

□ 0052

play [plei]

동 놀다; (게임·놀이를) 하다

play with a ball
공을 가지고 **놀다**

□ 0053

fight [fait]

명 싸움 동 싸우다 (fought-fought)

stop the **fight**
싸움을 멈추다

□ 0054

sorry [sɔ́:ri]

형 미안한; 유감스러운

I am **sorry**.
내가 **미안해**.

□ 0055

wait [weit]

동 기다리다

Please **wait** here.
이곳에서 **기다려** 줘.

□ 0056

talk [tɔːk]

동 말하다, 이야기하다 유 speak

talk to my friends
내 친구들에게 **말하다**

□ 0057

meet [miːt]

동 만나다; 모이다 (met-met)

Nice to **meet** you.
너를 **만나게** 되어 좋아.

□ 0058

like [laik]

동 좋아하다

Many people **like** him.
많은 사람들이 그를 **좋아한다.**

□ 0059

fun [fʌn]

형 즐거운, 재미있는 명 즐거움

a **fun** time
즐거운 시간

□ 0060

make a friend

친구를 사귀다

make a new **friend**
새로운 **친구를 사귀다**

중1 필수 어휘

□ 0061

together [təgéðər]

부 함께

laugh **together**
함께 웃다

□ 0062

partner | 명 짝, 파트너

[pá:rtnər]

I played tennis with a **partner.**
나는 **짝**과 테니스를 했다.

□ 0063

group | 명 무리, 그룹

[gru:p]

a **group** of students
학생들의 **무리**

□ 0064

enjoy | 동 즐기다

[indʒɔ́i]

Did you **enjoy** the soccer game?
너는 축구 경기를 **즐겼니**?

□ 0065

share | 동 나누다, 공유하다

[ʃεər]

share the food
음식을 **나누다**

□ 0066

secret | 형 비밀의 명 비밀

[sí:krit]

a **secret** message
비밀 메시지

□ 0067

joke | 명 농담

[dʒouk]

tell a **joke**
농담을 하다

□ 0068

friendship | 명 우정

[fréndʃip]

our **friendship**
우리의 **우정**

□ 0069

alone

부 홀로, 혼자

[əlóun]

live **alone**
홀로 살다

□ 0070

favor

명 호의, 친절

[féivər]

do her a **favor**
그녀에게 **호의**를 베풀다

□ 0071

nickname

명 별명

[níknèim]

His **nickname** is Big Bear.
그의 **별명**은 큰 곰이다.

□ 0072

help

동 돕다 명 도움

[help]

help my grandmother
나의 할머니를 **돕다**

+ helpful 형 도움이 되는

□ 0073

neighbor

명 이웃

[néibər]

our **neighbor**
우리의 **이웃**

□ 0074

close

형 가까운 동 [klouz] 닫다

[klous]

a **close** friend
가까운 친구

□ 0075

in need

어려움에 처한

help a neighbor **in need**
어려움에 처한 이웃을 돕다

Daily Test

[01~05] 단어와 뜻을 알맞은 것끼리 연결하세요.

01 meet	•	• ⓐ 좋아하다
02 nickname	•	• ⓑ 별명
03 like	•	• ⓒ 만나다, 모이다
04 partner	•	• ⓓ 비밀의, 비밀
05 secret	•	• ⓔ 짝

[06~15] 영어는 우리말로, 우리말은 영어로 쓰세요.

06 talk	________	**11** 무리, 그룹	________
07 wait	________	**12** 미안한, 유감스러운	________
08 enjoy	________	**13** 즐거운, 즐거움	________
09 friendship	________	**14** 이웃	________
10 joke	________	**15** 호의	________

[16~20] 우리말과 같은 뜻이 되도록 빈칸에 알맞은 단어를 쓰세요.

16 어려움에 처한 친구 a friend ________

17 학교에서 친구를 사귀다 ________ at school

18 함께 노래 부르자. Let's sing ________.

19 너의 집은 나의 집과 가깝다. Your house is ________ to my house.

20 나는 James를 만나 밖에서 놀 것이다.
I will meet James and ________ outside.

Picture Review

사진과 함께 오늘 배운 단어를 다시 기억해보세요.

DAY 03

해커스 보카 중학 기초

DAY 04 외모

밤하늘의 아름다운 별들도 어둠이 있기에 반짝반짝 shine한답니다.

초등 핵심 어휘

□ 0076

big [big]

형 큰 부 크게

big eyes
큰 눈

□ 0077

small [smɔːl]

형 작은

small hands
작은 손

□ 0078

tall [tɔːl]

형 키가 큰

She is **tall.**
그녀는 **키가 크다.**

□ 0079

long [lɔːŋ]

형 긴

long arms
긴 팔

□ 0080

short [ʃɔːrt]

형 짧은; 키가 작은

short brown hair
짧은 갈색 머리

□ 0081

young 형 젊은, 어린

[jʌŋ]

He is **young.**
그는 **젊다.**

□ 0082

old 형 늙은

[ould]

an **old** lady
늙은 여성

□ 0083

thin 형 마른; 얇은

[θin]

She was **thin.**
그녀는 **말랐었다.**

□ 0084

fat 형 뚱뚱한

[fæt]

a **fat** man
뚱뚱한 남자

□ 0085

look like ~처럼 생기다, 보이다

You **look like** a rabbit.
너는 토끼**처럼 생겼다.**

중1 필수 어휘

□ 0086

large 형 큰 유 big

[lɑːrdʒ]

have a **large** mouth
큰 입을 가지고 있다

□ 0087

pretty | 형 예쁜 부 꽤, 아주

[príti]

a **pretty** child
예쁜 아이

□ 0088

cute | 형 귀여운

[kjuːt]

The girl is **cute.**
그 소녀는 **귀엽다.**

□ 0089

beautiful | 형 아름다운

[bjúːtəfəl]

beautiful colors
아름다운 색깔들

□ 0090

handsome | 형 잘생긴

[hǽnsəm]

a **handsome** pianist
잘생긴 피아니스트

□ 0091

nice | 형 멋진, 좋은; 친절한

[nais]

He has a **nice** smile.
그는 **멋진** 미소를 가지고 있다.

□ 0092

ugly | 형 못생긴

[ʌ́gli]

an **ugly** face
못생긴 얼굴

□ 0093

light | 형 가벼운 반 heavy 무거운 명 빛

[lait]

The little boy was **light.**
그 어린 소년은 **가벼웠다.**

☐ 0094

lovely [lʌ́vli]

형 사랑스러운

a **lovely** girl
사랑스러운 소녀

☐ 0095

curly [kə́:rli]

형 곱슬곱슬한

curly hair
곱슬곱슬한 머리

☐ 0096

straight [streit]

형 곧은 부 똑바로

Her neck is **straight.**
그녀의 목은 **곧다.**

☐ 0097

shine [ʃain]

동 빛나다 (shone-shone)

Their faces **shine** with happiness.
그들의 얼굴은 행복으로 **빛난다.**

☐ 0098

wash [wɔ:ʃ]

동 씻다, 빨래하다

wash my feet
나의 발을 **씻다**

☐ 0099

change [tʃeindʒ]

동 바꾸다, 변화하다 명 변화

change his hair color
그의 머리색을 **바꾸다**

☐ 0100

give it a try

한번 해보다, 시도하다

Why don't you **give it a try?**
한번 해보는 것이 어때?

Daily Test

[01~05] 단어와 뜻을 알맞은 것끼리 연결하세요.

01 large	•	• ⓐ 멋진, 친절한
02 nice	•	• ⓑ 예쁜, 꽤
03 pretty	•	• ⓒ 못생긴
04 ugly	•	• ⓓ 큰
05 light	•	• ⓔ 가벼운, 빛

[06~15] 영어는 우리말로, 우리말은 영어로 쓰세요.

06 shine	______________	**11** 작은	______________
07 tall	______________	**12** 바꾸다, 변화	______________
08 fat	______________	**13** 늙은	______________
09 beautiful	______________	**14** 곱슬곱슬한	______________
10 lovely	______________	**15** 마른, 얇은	______________

[16~20] 우리말과 같은 뜻이 되도록 빈칸에 알맞은 단어를 쓰세요.

16 젊은 남자 a(n) ______________ man

17 짧은 목을 가지다 have a(n) ______________ neck

18 우리는 손을 씻어야 해. We should ______________ our hands.

19 너는 네 아빠처럼 생겼다. You ______________ your father.

20 나는 한번 해볼 거야. I will ______________.

Picture Review

사진과 함께 오늘 배운 단어를 다시 기억해보세요.

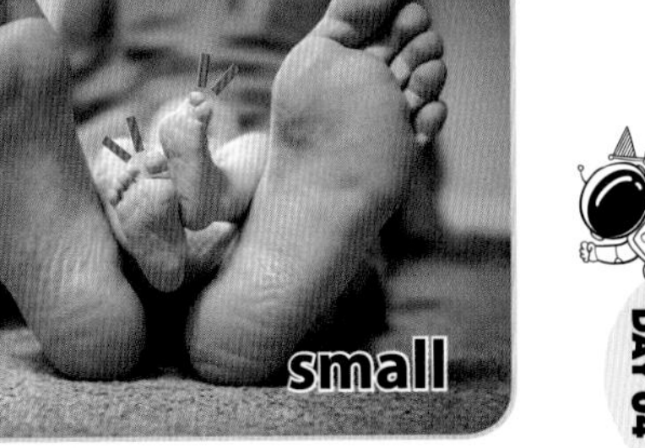

DAY 05 성격과 특징

내 character를 한 단어로 표현한다면 어떤 단어가 가장 적절한가요?

초등 핵심 어휘

□ 0101

kind 형 친절한 명 종류

[kaind]

a **kind** student
친절한 학생

□ 0102

shy 형 수줍어하는

[ʃai]

a **shy** person
수줍어하는 사람

□ 0103

lazy 형 게으른

[léizi]

lazy people
게으른 사람들

□ 0104

smart 형 똑똑한

[smɑːrt]

She is a **smart** girl.
그녀는 똑똑한 소녀이다.

□ 0105

brave 형 용감한, 용기 있는

[breiv]

a **brave** hero
용감한 영웅

□ 0106

quiet

[kwáiət]

형 조용한 반 noisy 시끄러운

Kids, be **quiet**.
얘들아, **조용히** 해.

□ 0107

great

[greit]

형 훌륭한; 큰

a **great** friend
훌륭한 친구

□ 0108

afraid

[əfréid]

형 무서워하는, 두려워하는

be **afraid** of birds
새들을 **무서워하다**

□ 0109

funny

[fʌ́ni]

형 웃긴, 재미있는

a **funny** cousin
웃긴 사촌

□ 0110

from now on

이제부터, 앞으로는

I will be different **from now on**.
나는 **이제부터** 달라질 거야.

중1 필수 어휘

□ 0111

honest

[ɑ́:nist]

형 정직한, 솔직한

an **honest** boy
정직한 소년

+ honesty 명 정직함, 솔직함

DAY 05

해커스 보카 중학 기초

☐ 0112

bold [bould]

형 대담한, 용감한

Be **bold.**
대담해라.

☐ 0113

silent [sáilənt]

형 말이 없는, 조용한

She was **silent.**
그녀는 말이 없었다.

☐ 0114

calm [kɑːm]

형 침착한 동 진정시키다

a **calm** person
침착한 사람

☐ 0115

wise [waiz]

형 현명한

a **wise** king
현명한 왕

☐ 0116

clever [klévər]

형 영리한

The kid is **clever.**
그 아이는 영리하다.

☐ 0117

stupid [stjúːpid]

형 어리석은

He is **stupid.**
그는 어리석다.

☐ 0118

careful [kέərfəl]

형 조심성이 있는, 주의 깊은

You should be **careful.**
너는 조심성이 있어야 한다.

□ 0119

humorous 형 재미있는, 유머러스한

[hjú:mərəs]

a **humorous** person
재미있는 사람

□ 0120

friendly 형 다정한, 친절한 유 kind

[fréndli]

You are really **friendly.**
너는 정말 **다정하구나.**

□ 0121

polite 형 예의 바른 반 rude 무례한

[pəláit]

Be **polite** to adults.
어른들에게 **예의 바르게** 해라.

□ 0122

selfish 형 이기적인

[sélfiʃ]

My sister is **selfish.**
나의 언니는 **이기적이다.**

□ 0123

curious 형 호기심이 많은

[kjúəriəs]

a very **curious** boy
아주 **호기심이 많은** 소년

□ 0124

character 명 성격; 특징

[kǽriktər]

a good **character**
좋은 **성격**

□ 0125

have ~ in common ~을 공통적으로 가지다

We **have** so much **in common.**
우리는 아주 많은 것들**을 공통적으로 가진다.**

Daily Test

[01~05] 단어와 뜻을 알맞은 것끼리 연결하세요.

01 funny	•	• ⓐ 웃긴
02 kind	•	• ⓑ 침착한, 진정시키다
03 polite	•	• ⓒ 성격, 특징
04 calm	•	• ⓓ 친절한, 종류
05 character	•	• ⓔ 예의 바른

[06~15] 영어는 우리말로, 우리말은 영어로 쓰세요.

06 bold ________________

07 honest ________________

08 humorous ________________

09 clever ________________

10 wise ________________

11 똑똑한 ________________

12 무서워하는 ________________

13 이기적인 ________________

14 조심성이 있는 ________________

15 어리석은 ________________

[16~20] 우리말과 같은 뜻이 되도록 빈칸에 알맞은 단어를 쓰세요.

16 훌륭한 선생님 a(n) ________________ teacher

17 말이 없는 소녀 a(n) ________________ girl

18 너는 다정하다. You are ________________.

19 우리는 공통점을 가지지 않아. We ________________ nothing ________________.

20 이제부터, 나는 성실해지려고 노력할 것이다.

________________, I will try to be diligent.

Picture Review

사진과 함께 오늘 배운 단어를 다시 기억해보세요.

DAY 06 직업

세상에는 다양한 job이 있어요. 여러분은 어떤 직업을 갖고 싶나요?

초등 핵심 어휘

□ 0126

job 명 직장, 직업

[dʒɑːb]

get a **job**
직장을 얻다

□ 0127

become 동 ~이 되다 (became-become)

[bikʌ́m]

become a cook
요리사가 되다

□ 0128

nurse 명 간호사

[nəːrs]

a kind **nurse**
친절한 간호사

□ 0129

doctor 명 의사

[dɑ́ːktər]

My uncle is a **doctor**.
나의 삼촌은 의사이다.

□ 0130

dentist 명 치과의사

[déntist]

She is a **dentist**.
그녀는 치과의사이다.

□ 0131

writer [ráitər]

명 작가 유 author

a storybook **writer**
동화책 **작가**

□ 0132

model [mɑ́:dl]

명 모델; 모형

She looks like a **model.**
그녀는 **모델**처럼 보인다.

□ 0133

designer [dizáinər]

명 디자이너, 설계자

a great **designer**
훌륭한 **디자이너**

□ 0134

police [pəlí:s]

명 경찰

call the **police**
경찰을 부르다

□ 0135

in the end

마침내, 결국

He got a job **in the end.**
그는 **마침내** 직장을 얻었다.

중1 필수 어휘

□ 0136

firefighter [fáiərfaitər]

명 소방관

I am a **firefighter.**
나는 **소방관**이다.

□ 0137

engineer 명 기술자, 기사

[èndʒiníər]

a smart **engineer**
뚝뚝한 **기술자**

□ 0138

actor 명 배우

[ǽktər]

a handsome film **actor**
잘생긴 영화**배우**

□ 0139

reporter 명 기자, 리포터

[ripɔ́:rtər]

He is a sports **reporter.**
그는 스포츠 **기자**이다.

□ 0140

producer 명 제작자

[prədjú:sər]

a famous movie **producer**
유명한 영화 **제작자**

□ 0141

scientist 명 과학자

[sáiəntist]

She is a clever **scientist.**
그녀는 영리한 **과학자**이다.

□ 0142

barber 명 이발사 ㊌ hairdresser

[bɑ́:rbər]

The **barber** cut my hair.
이발사가 내 머리를 깎았다.

□ 0143

sailor 명 선원, 뱃사람

[séilər]

an old **sailor**
늙은 **선원**

□ 0144

farmer | 명 농부, 농장주

[fá:rmər]

a young **farmer**
젊은 **농부**

□ 0145

professor | 명 교수

[prəfésər]

an art **professor**
미술 **교수**

□ 0146

lawyer | 명 변호사

[lɔ́:jər]

Tommy is a **lawyer.**
Tommy는 **변호사**이다.

□ 0147

chef | 명 요리사 유 cook

[ʃef]

a new **chef**
새로운 **요리사**

□ 0148

vet | 명 수의사

[vet]

take my dog to the **vet**
나의 개를 **수의사**에게 데려가다

□ 0149

president | 명 대통령

[prézədənt]

the first **president** of the country
그 나라의 첫 번째 **대통령**

□ 0150

come across | 우연히 마주치다, 발견하다

come across my professor in the library
나의 교수님을 도서관에서 **우연히 마주치다**

Daily Test

[01~05] 단어와 뜻을 알맞은 것끼리 연결하세요.

01 become • • ⓐ 간호사

02 producer • • ⓑ ~이 되다

03 sailor • • ⓒ 제작자

04 vet • • ⓓ 선원

05 nurse • • ⓔ 수의사

[06~15] 영어는 우리말로, 우리말은 영어로 쓰세요.

06 dentist ______________

07 engineer ______________

08 barber ______________

09 professor ______________

10 lawyer ______________

11 디자이너 ______________

12 모델, 모형 ______________

13 요리사 ______________

14 배우 ______________

15 대통령 ______________

[16~20] 우리말과 같은 뜻이 되도록 빈칸에 알맞은 단어를 쓰세요.

16 직장을 찾다 find a(n) ______________

17 유명한 요리사를 우연히 마주치다 ______________ a famous cook

18 그는 마침내 의사를 만났다. He met a doctor ______________.

19 농부가 날씨에 대해 걱정한다. The ______________ worries about the weather.

20 J. K. Rowling은 「해리포터」의 작가이다.
J. K. Rowling is the ______________ of *Harry Potter*.

Picture Review

사진과 함께 오늘 배운 단어를 다시 기억해보세요.

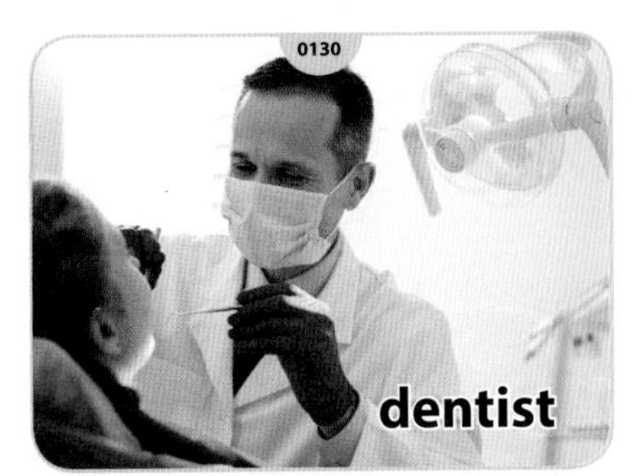

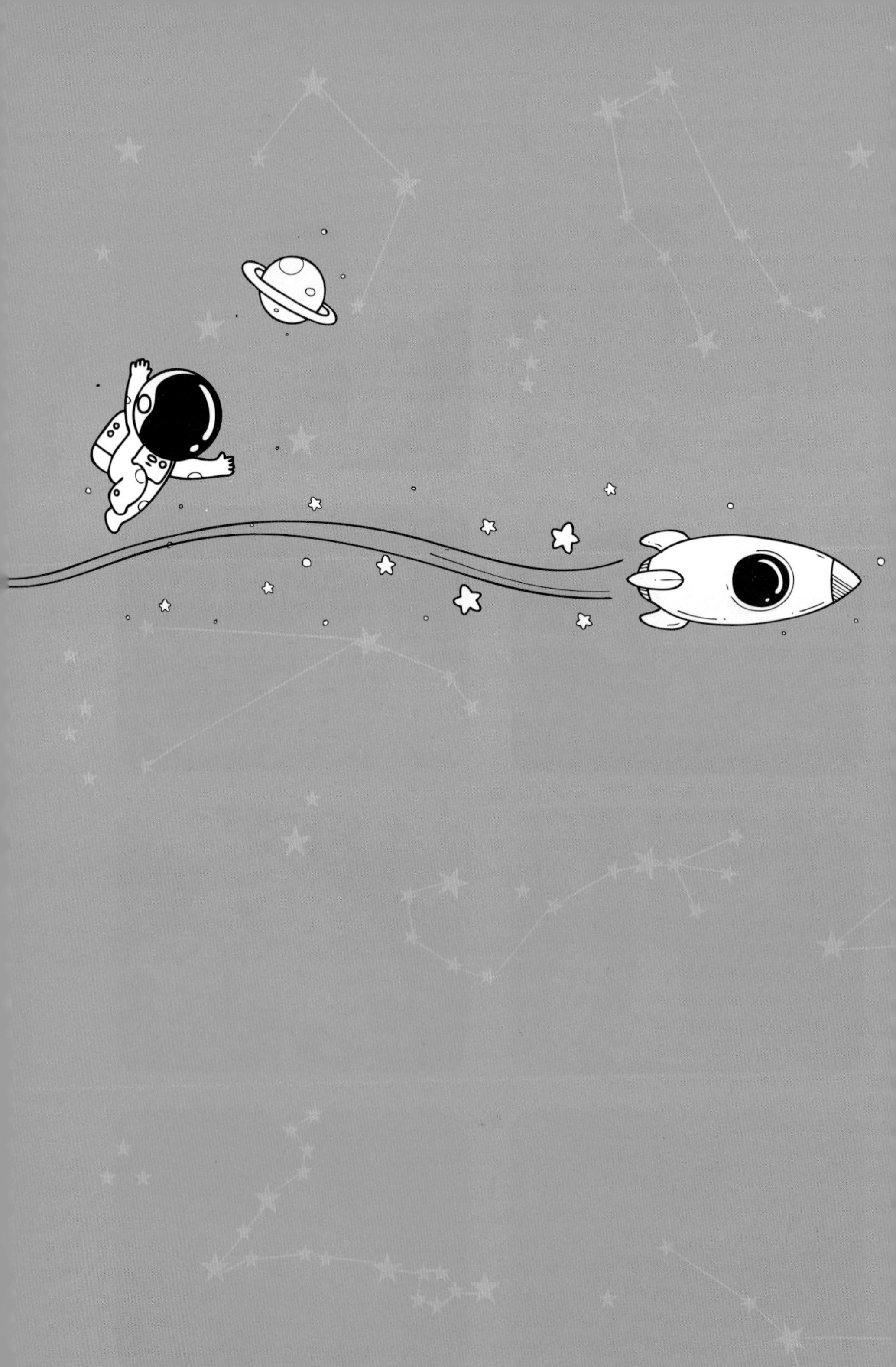

SECTION 2

Body & Mind

몸과 마음

DAY 07 신체

Chin을 괴지 말고 바른 자세로 오늘의 학습을 시작해볼까요?

초등 핵심 어휘

☐ 0151

head [hed]

명 머리

shake my **head**
내 **머리**를 흔들다

☐ 0152

face [feis]

명 얼굴

a pretty **face**
예쁜 **얼굴**

☐ 0153

eye [ai]

명 눈

Close your **eyes**.
눈을 감아라.

☐ 0154

nose [nouz]

명 코

his small **nose**
그의 작은 **코**

☐ 0155

mouth [mauθ]

명 입

Your **mouth** is big.
너의 **입**은 크다.

□ 0156

ear 명 귀

[iər]

my right **ear**
내 오른쪽 **귀**

□ 0157

hand 명 손 동 건네주다

[hænd]

Raise your **hand**.
당신의 **손**을 드세요.

□ 0158

hair 명 머리카락; 털

[heər]

brush her **hair**
그녀의 **머리카락**을 빗다

□ 0159

body 명 몸, 신체 반 mind 마음

[bɑ́:di]

body and mind
몸과 마음

□ 0160

grow up 성장하다, 자라다

Babies **grow up** quickly.
아기들은 빠르게 **성장한다**.

중1 필수 어휘

□ 0161

lip 명 입술

[lip]

my upper **lip**
내 윗**입술**

DAY 07

해커스 보카 중학 기초

□ 0162

tongue | 명 혀

[tʌŋ]

a long **tongue**
긴 **혀**

□ 0163

tooth | 명 이, 치아 복 teeth

[tu:θ]

the baby's first **tooth**
아기의 첫 번째 **이**

□ 0164

cheek | 명 볼

[tʃi:k]

She kissed her daughter's **cheek.**
그녀는 딸의 **볼**에 입맞췄다.

□ 0165

chin | 명 턱

[tʃin]

I have a round **chin.**
나는 둥근 **턱**을 가졌다.

□ 0166

neck | 명 목

[nek]

His **neck** is short.
그의 **목**은 짧다.

□ 0167

shoulder | 명 어깨

[ʃóuldər]

my **shoulders**
내 **어깨**

□ 0168

arm | 명 팔

[ɑ:rm]

wave her **arms**
그녀의 **팔**을 흔들다

□ 0169

finger | 명 손가락

[fíŋgər]

point at something with my **finger**
나의 **손가락**으로 무언가를 가리키다

□ 0170

bone | 명 뼈

[boun]

a broken **bone**
부러진 **뼈**

□ 0171

leg | 명 다리

[leg]

My **leg** hurts.
나의 **다리**가 아프다.

□ 0172

knee | 명 무릎

[niː]

bend the **knees**
양 **무릎**을 구부리다

□ 0173

foot | 명 발 복 feet

[fut]

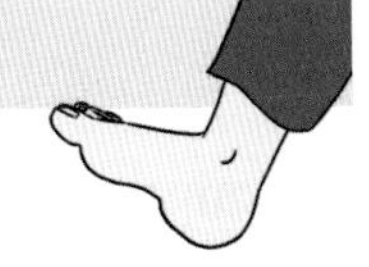

stand on one **foot**
한 **발**로 서다

□ 0174

toe | 명 발끝; 발가락

[tou]

from head to **toe**
머리부터 **발끝**까지

□ 0175

thanks to | ~ 덕분에, 때문에

Thanks to my parents, I was born.
나의 **부모님** 덕분에, 내가 태어났다.

Daily Test

[01~05] 단어와 뜻을 알맞은 것끼리 연결하세요.

01 hair	ⓐ 입술
02 bone	ⓑ 발
03 lip	ⓒ 손, 건네주다
04 hand	ⓓ 뼈
05 foot	ⓔ 머리카락, 털

[06~15] 영어는 우리말로, 우리말은 영어로 쓰세요.

06 head ____________

07 mouth ____________

08 tooth ____________

09 chin ____________

10 leg ____________

11 귀 ____________

12 발끝, 발가락 ____________

13 몸 ____________

14 혀 ____________

15 어깨 ____________

[16~20] 우리말과 같은 뜻이 되도록 빈칸에 알맞은 단어를 쓰세요.

16 둥근 얼굴 a round ____________

17 무릎의 통증 pain in the ____________

18 그가 자신의 왼쪽 팔을 들어올렸다. He lifted his left ____________.

19 그녀는 농장에서 자라지 않았다. She did not ____________ on a farm.

20 나의 목소리 덕분에, 나는 성우가 되었다.

____________ my voice, I became a voice actor.

Picture Review

사진과 함께 오늘 배운 단어를 다시 기억해보세요.

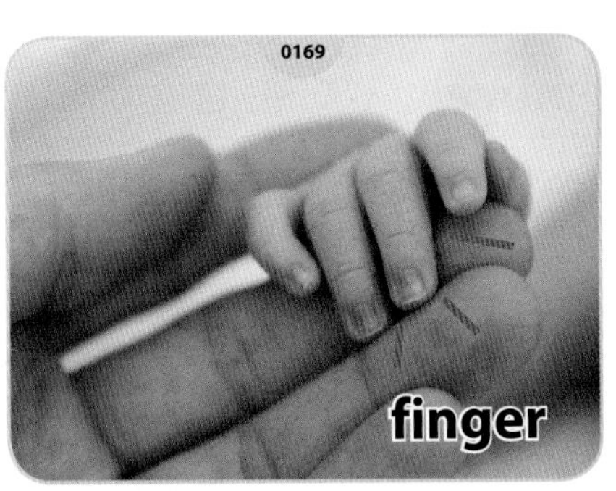

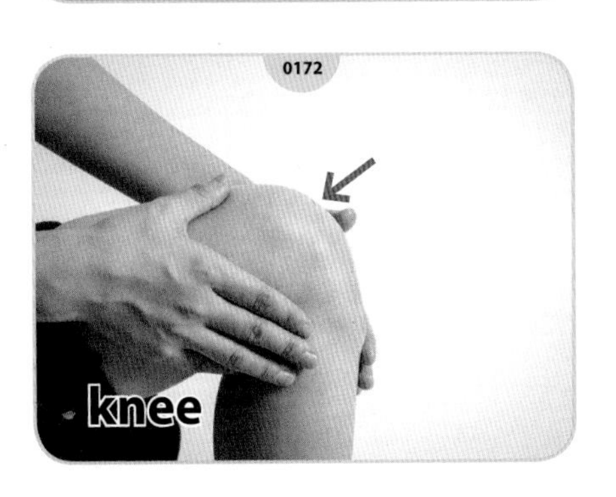

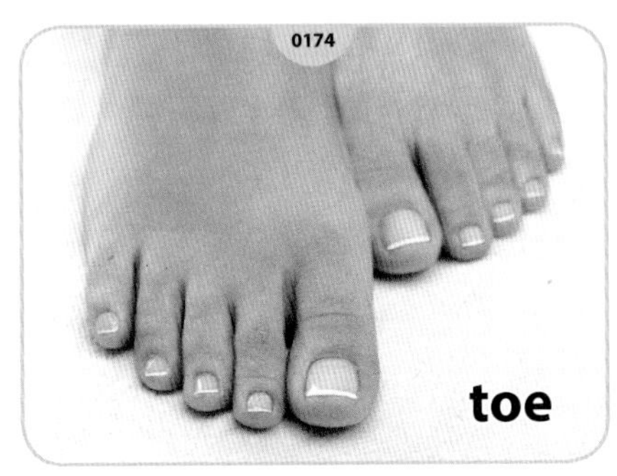

DAY 08 행동

가끔은 손에 hold한 스마트폰을 내려놓고, 친구들과의 대화에 집중해봐요.

초등 핵심 어휘

□ 0176

do [du]

동 하다 (did-done)

do homework
숙제를 **하다**

□ 0177

act [ækt]

동 행동하다

act kindly
친절하게 **행동하다**

□ 0178

move [mu:v]

동 움직이다

move here and there
이리저리 **움직이다**

□ 0179

make [meik]

동 만들다 (made-made)

make cookies
쿠키를 **만들다**

□ 0180

use [ju:z]

동 사용하다 명 사용

I can **use** an oven.
나는 오븐을 **사용할** 수 있다.

□ 0181

stand | 동 서다, 서 있다 (stood-stood)

[stænd]

stand straight
똑바로 **서다**

□ 0182

sit | 동 앉다 (sat-sat)

[sit]

Let's **sit** on the sofa.
소파에 **앉자**.

□ 0183

sleep | 동 잠을 자다 (slept-slept) 명 잠, 수면

[sli:p]

sleep well
잠을 잘 **자다**

□ 0184

wake | 동 (잠에서) 깨다, 깨우다 (woke-woken)

[weik]

I **wake** up at 7 o'clock.
나는 7시에 **잠에서 깬다**.

□ 0185

get up | (앉거나 누워 있다가) 일어나다; (잠에서) 일어나다

get up slowly
천천히 **일어나다**

중1 필수 어휘

□ 0186

give | 동 주다 (gave-given)

[giv]

give her a present
그녀에게 선물을 **주다**

□ 0187

drop | 동 떨어뜨리다, 떨어지다 유 fall

[drɑːp]

drop the pencil
연필을 **떨어뜨리다**

□ 0188

work | 동 일하다 명 일, 직장

[wəːrk]

work at an office
사무실에서 **일하다**

□ 0189

keep | 동 계속하다; 가지고 있다 (kept-kept)

[kiːp]

keep talking
말하는 것을 **계속하다**

□ 0190

find | 동 찾다; 알아내다 (found-found)

[faind]

Did he **find** a clue?
그가 단서를 **찾았**니?

□ 0191

hold | 동 잡고 있다, 들다 (held-held)

[hould]

Can you **hold** the door?
문을 **잡고 있어**줄 수 있니?

□ 0192

begin | 동 시작하다, 시작되다 (began-begun)

[bigín]

begin running
달리기를 **시작하다**

□ 0193

finish | 동 끝내다, 끝나다

[fíniʃ]

finish doing homework
숙제하는 것을 **끝내다**

□ 0194

bring [briŋ]

동 **가져오다, 데려오다** (brought-brought)

I will **bring** a small present.
나는 작은 선물을 **가져올** 거야.

□ 0195

build [bild]

동 **짓다, 건설하다** (built-built)

build a house
집을 **짓다**

□ 0196

break [breik]

동 **깨뜨리다, 부수다** (broke-broken)

break a window
창문을 **깨뜨리다**

□ 0197

cover [kʌ́vər]

동 **가리다, 덮다**

Cover your mouth with a mask.
마스크로 당신의 입을 **가리세요**.

□ 0198

lift [lift]

동 **들어올리다** 유 raise

lift a big box
큰 박스를 **들어올리다**

□ 0199

rub [rʌb]

동 **문지르다, 비비다**

rub with a towel
타월로 **문지르다**

□ 0200

make fun of

~를 놀리다, 비웃다

Don't **make fun of** her.
그녀를 **놀리지** 마.

Daily Test

[01~05] 단어와 뜻을 알맞은 것끼리 연결하세요.

01 do	•	• ⓐ 문지르다
02 rub	•	• ⓑ 하다
03 sit	•	• ⓒ 시작하다
04 begin	•	• ⓓ 깨뜨리다
05 break	•	• ⓔ 앉다

[06~15] 영어는 우리말로, 우리말은 영어로 쓰세요.

06 use ____________

07 wake ____________

08 give ____________

09 work ____________

10 finish ____________

11 잡고 있다 ____________

12 행동하다 ____________

13 서다 ____________

14 찾다, 알아내다 ____________

15 계속하다, 가지고 있다 ____________

[16~20] 우리말과 같은 뜻이 되도록 빈칸에 알맞은 단어를 쓰세요.

16 천천히 움직이다 ____________ slowly

17 의자에서 일어나다 ____________ from the chair

18 그가 소풍을 위해 무엇을 가져와야 하니?
What should he ____________ for a picnic?

19 나는 이 탁자를 들어올릴 수 없다. I can't ____________ this table.

20 네 남동생을 놀리지 마라. Don't ____________ your brother.

Picture Review

사진과 함께 오늘 배운 단어를 다시 기억해보세요.

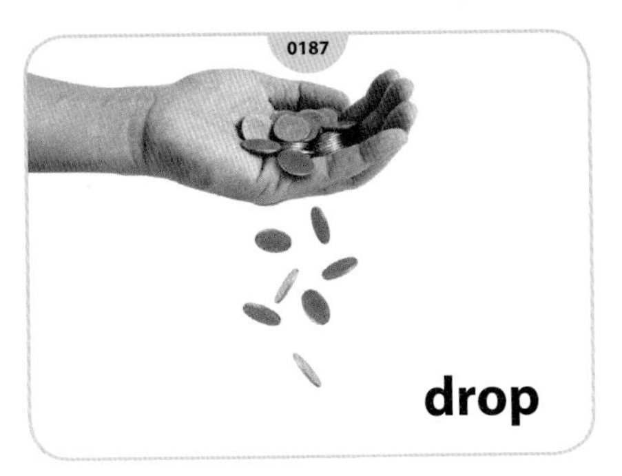

DAY 09

감각

어떤 일이든 항상 bright한 면을 보고 긍정적으로 생각하는 것이 좋아요.

초등 핵심 어휘

□ 0201

feel [fi:l]

동 느끼다; ~한 느낌[기분]이 들다 (felt-felt)

feel the wind
바람을 **느끼다**

□ 0202

look [luk]

동 보다; ~해 보이다

Look at me.
나를 **봐**.

□ 0203

see [si:]

동 보다 (saw-seen)

see each other
서로를 **보다**

□ 0204

watch [wa:tʃ]

동 보다, 지켜보다 명 손목시계

watch a movie
영화를 **보다**

□ 0205

smell [smel]

동 냄새를 맡다; ~한 냄새가 나다

I like to **smell** flowers.
나는 꽃 **냄새를 맡는** 것을 좋아한다.

□ 0206

listen 동 듣다

[lísn]

listen to music
음악을 **듣다**

□ 0207

hear 동 듣다, 들리다

[hiər]

hear the sound of something
무언가의 소리를 **듣다**

□ 0208

loud 형 (소리가) 큰, 시끄러운

[laud]

the **loud** sound of thunder
큰 천둥 소리

□ 0209

noisy 형 시끄러운

[nɔ́izi]

walk the **noisy** street
시끄러운 거리를 걷다

□ 0210

one another 서로

get along with **one another**
서로 잘 지내다

중1 필수 어휘

□ 0211

sense 명 감각 동 느끼다

[sens]

sense of humor
유머 **감각**

□ 0212

bright 형 밝은, 빛나는

[brait]

The sun is **bright**.
해가 **밝다**.

□ 0213

dark 형 어두운

[dɑːrk]

a **dark** room
어두운 방

□ 0214

soft 형 부드러운

[sɔːft]

soft fur
부드러운 털

□ 0215

dry 형 건조한, 마른

[drai]

a **dry** season
건조한 계절

□ 0216

wet 형 젖은, 축축한

[wet]

wet shoes
젖은 신발

□ 0217

sound 명 소리 동 ~하게 들리다

[saund]

make **sounds**
소리를 내다

□ 0218

touch 동 만지다, 건드리다

[tʌtʃ]

Don't **touch** my phone.
내 휴대폰을 **만지지** 마.

☐ 0219

taste

동 맛보다; ~한 맛이 나다

[teist]

taste the soup
국을 **맛보다**

☐ 0220

bitter

형 (맛이) 쓴

[bítər]

take **bitter** medicine
쓴 약을 먹다

☐ 0221

sweet

형 달콤한, 단

[swiːt]

sweet chocolate
달콤한 초콜릿

☐ 0222

thick

형 두꺼운; 빽빽한

[θik]

hold a **thick** book
두꺼운 책을 들다

☐ 0223

sour

형 (맛이) 신

[sáuər]

The lemon tastes **sour.**
레몬은 **신** 맛이 난다.

☐ 0224

really

부 아주, 정말; 실제로

[ríːəli]

This comic book is **really** funny.
이 만화책은 **아주** 웃기다.

☐ 0225

come up with

~을 생각해내다; (생각이) 떠오르다

come up with a great memory
좋은 추억을 **생각해내다**

Daily Test

[01~05] 단어와 뜻을 알맞은 것끼리 연결하세요.

01 look	•	• ⓐ (맛이) 신
02 listen	•	• ⓑ 듣다
03 sweet	•	• ⓒ 달콤한
04 sour	•	• ⓓ 보다, ~해 보이다
05 sense	•	• ⓔ 감각, 느끼다

[06~15] 영어는 우리말로, 우리말은 영어로 쓰세요.

06 see ____________

07 sound ____________

08 feel ____________

09 noisy ____________

10 hear ____________

11 부드러운 ____________

12 어두운 ____________

13 젖은 ____________

14 두꺼운, 빽빽한 ____________

15 건조한 ____________

[16~20] 우리말과 같은 뜻이 되도록 빈칸에 알맞은 단어를 쓰세요.

16 서로 좋아하다 like ____________

17 밝은 색깔들 ____________ colors

18 나는 좋은 계획을 생각해낼 것이다. I will ____________ a good plan.

19 우리 교실은 정말 지저분하다. Our classroom is ____________ dirty.

20 손을 씻기 전까지 어떤 것도 만지지 마라.
Don't ____________ anything before you wash your hands.

Picture Review

사진과 함께 오늘 배운 단어를 다시 기억해보세요.

감정과 기분

Smile은 행복을 가져다 준대요. 우리 모두 찡그리지 말고 smile~ :)

초등 핵심 어휘

□ 0226

happy [hǽpi]

형 행복한, 기쁜

a very **happy** life
아주 **행복한** 인생

□ 0227

glad [glæd]

형 기쁜, 반가운

I am **glad** to hear the news.
내가 그 소식을 듣게 되어 **기쁘다**.

□ 0228

merry [méri]

형 즐거운

a **merry** voice
즐거운 목소리

□ 0229

smile [smail]

동 미소 짓다 명 미소

Nancy **smiles** at me.
Nancy가 나에게 **미소 짓는다**.

□ 0230

angry [ǽŋgri]

형 화난

look **angry**
화나 보이다

□ 0231

worry | 동 걱정하다 명 걱정

[wə́ːri]

worry about the test
시험에 대해 **걱정하다**

□ 0232

sad | 형 슬픈

[sæd]

a **sad** story
슬픈 이야기

□ 0233

cry | 동 울다

[krai]

Don't **cry.**
울지 마.

□ 0234

mad | 형 몹시 화가 난

[mæd]

I am so **mad.**
나는 아주 **몹시 화가 난다.**

□ 0235

calm down | 진정하다, 진정시키다

Calm down and drink some water.
진정하고 물을 좀 마셔.

중 1 필수 어휘

□ 0236

emotion | 명 감정

[imóuʃən]

a strong **emotion**
격한 **감정**

□ 0237

upset 형 속상한

[ʌ̀psét]

get **upset**
속상하게 되다

□ 0238

dull 형 지루한; 무딘

[dʌl]

a **dull** game
지루한 게임

□ 0239

thank 동 감사하다, 고마워하다

[θæŋk]

thank parents for their love
부모님의 사랑에 감사하다

□ 0240

lonely 형 외로운

[lóunli]

feel **lonely**
외롭게 느끼다

□ 0241

proud 형 자랑스러워하는

[praud]

be **proud** of the result
결과를 자랑스러워하다

□ 0242

serious 형 진지한, 심각한

[síəriəs]

I am **serious**.
나는 진지하다.

□ 0243

bored 형 지루한, 지루해하는

[bɔːrd]

The students got **bored**.
학생들은 지루해졌다.

□ 0244

scared ⓗ 겁먹은

[skeərd]

a **scared** man
겁먹은 남자

□ 0245

nervous ⓗ 긴장한, 불안한

[nə́ːrvəs]

Are you **nervous**?
너 **긴장했니**?

□ 0246

excited ⓗ 신이 난, 흥분한

[iksáitid]

Jessica looks **excited**.
Jessica는 **신이 난** 것처럼 보인다.

□ 0247

feeling ⓜ 느낌; (-s) 감정 ⓨ emotion

[fíːliŋ]

a **feeling** of happiness
행복한 **느낌**

□ 0248

surprised ⓗ 놀란

[sərpráizd]

She seems **surprised**.
그녀는 **놀란** 것처럼 보인다.

□ 0249

pleasure ⓜ 기쁨

[pléʒər]

give **pleasure**
기쁨을 주다

□ 0250

all the time 항상

He is happy **all the time**.
그는 **항상** 행복하다.

Daily Test

[01~05] 단어와 뜻을 알맞은 것끼리 연결하세요.

01 dull	ⓐ 즐거운
02 mad	ⓑ 몹시 화가 난
03 emotion	ⓒ 기쁨
04 merry	ⓓ 감정
05 pleasure	ⓔ 지루한, 무딘

[06~15] 영어는 우리말로, 우리말은 영어로 쓰세요.

06 bored ____________

07 feeling ____________

08 happy ____________

09 excited ____________

10 scared ____________

11 외로운 ____________

12 자랑스러워하는 ____________

13 슬픈 ____________

14 걱정하다, 걱정 ____________

15 속상한 ____________

[16~20] 우리말과 같은 뜻이 되도록 빈칸에 알맞은 단어를 쓰세요.

16 나의 부모님에게 감사하다 ____________ my parents

17 긴장해 보이다 seem ____________

18 그녀는 항상 화난 것처럼 보인다. She looks angry ____________.

19 나는 매일 미소 지으려고 노력한다. I try to ____________ every day.

20 너는 진정해야 해. You need to ____________.

Picture Review

사진과 함께 오늘 배운 단어를 다시 기억해보세요.

DAY 11 생각

여러분의 dream은 무엇인가요?

초등 핵심 어휘

□ 0251

think [θiŋk]

동 생각하다 (thought-thought)

I don't **think** so.
나는 그렇게 **생각하지** 않아.

□ 0252

believe [bilíːv]

동 믿다

I **believe** you.
나는 너를 **믿어**.

□ 0253

know [nou]

동 알다, 알고 있다 (knew-known)

know the truth
사실을 **알다**

□ 0254

want [wɔːnt]

동 원하다, ~하고 싶어하다

want more cookies
더 많은 쿠키를 **원하다**

□ 0255

need [niːd]

동 필요로 하다 명 필요

need rest
휴식을 **필요로 하다**

□ 0256

sure 형 확실한

[ʃuər]

Are you **sure**?
너 **확실하니**?

□ 0257

wish 동 바라다, 원하다 명 소원

[wiʃ]

Thomas **wishes** me good luck.
Thomas는 나의 행운을 **바란다**.

□ 0258

dream 명 꿈 동 꿈을 꾸다

[driːm]

a wonderful **dream**
멋진 **꿈**

□ 0259

idea 명 생각, 발상

[aidíːə]

a good **idea**
좋은 **생각**

□ 0260

for sure 확실히

No one knows **for sure**.
아무도 **확실히** 알지 못한다.

중1 필수 어휘

□ 0261

also 부 또한, ~도

[ɔ́ːlsou]

I **also** have a great idea.
나 **또한** 좋은 생각을 가지고 있어.

☐ 0262

wonder 동 궁금해하다, 궁금하다

[wʌ́ndər]

wonder about the facts
사실에 대해 **궁금해하다**

☐ 0263

plan 명 계획 동 계획하다

[plæn]

monthly **plans**
매달의 **계획들**

☐ 0264

hope 동 바라다 명 희망

[houp]

hope for a gift
선물을 **바라다**

☐ 0265

mind 명 생각, 마음

[maind]

change my **mind**
내 **생각**을 바꾸다

☐ 0266

heart 명 마음; 심장

[hɑːrt]

a kind **heart**
다정한 **마음**

☐ 0267

forget 동 잊다 (forgot-forgotten)

[fərgét]

Don't **forget** the password.
비밀번호를 **잊지** 마.

☐ 0268

guess 동 추측하다

[ges]

guess the answer
답을 **추측하다**

□ 0269

understand 동 이해하다 (understood-understood)

[ʌ̀ndərstǽnd]

understand my friend
내 친구를 **이해하다**

□ 0270

remember 동 기억하다

[rimémbər]

Do you **remember** me?
너는 나를 **기억하니**?

□ 0271

soul 명 마음, 정신; 영혼

[soul]

a good **soul**
착한 **마음**

□ 0272

fact 명 사실

[fækt]

a fun **fact**
재미있는 **사실**

□ 0273

decide 동 결정하다

[disáid]

decide to travel
여행하기로 **결정하다**

□ 0274

because 접 ~하기 때문에

[bikɔ́:z]

I liked the movie **because** it was fun.
나는 그 영화가 재미있**기 때문에** 좋았다.

□ 0275

believe in (~의 존재를) 믿다

I **believe in** God.
나는 신**의 존재를 믿는다**.

Daily Test

[01~05] 단어와 뜻을 알맞은 것끼리 연결하세요.

01 hope	•	• ⓐ 바라다, 희망
02 heart	•	• ⓑ 믿다
03 mind	•	• ⓒ 생각
04 believe	•	• ⓓ 또한
05 also	•	• ⓔ 마음, 심장

[06~15] 영어는 우리말로, 우리말은 영어로 쓰세요.

06 soul ____________

07 want ____________

08 understand ____________

09 remember ____________

10 think ____________

11 알다 ____________

12 추측하다 ____________

13 궁금해하다 ____________

14 확실한 ____________

15 ~하기 때문에 ____________

[16~20] 우리말과 같은 뜻이 되도록 빈칸에 알맞은 단어를 쓰세요.

16 한 가지 작은 사실 one little ____________

17 외계인의 존재를 믿다 ____________ aliens

18 나는 꿈이 있다. I have a(n) ____________.

19 너는 지금 결정해야 한다. You should ____________ now.

20 Frank는 Jenny를 확실히 안다. Frank knows Jenny ____________.

Picture Review

사진과 함께 오늘 배운 단어를 다시 기억해보세요.

의사소통

오늘 소중한 사람에게 편지를 write하는 것이 어때요?

초등 핵심 어휘

□ 0276

say | 동 (~이라고) 말하다 (said-said)

[sei]

say hello
안녕이라고 말하다

□ 0277

speak | 동 말하다, 이야기하다 (spoke-spoken)

[spiːk]

speak loudly
크게 말하다

□ 0278

ask | 동 묻다, 물어보다

[æsk]

ask again
다시 묻다

□ 0279

call | 동 전화하다; 부르다

[kɔːl]

call Mina
Mina에게 전화하다

□ 0280

answer | 명 대답, 답 동 대답하다

[ǽnsər]

give an **answer**
대답을 하다

□ 0281

tell | 동 말하다 (told-told)

[tel]

Please **tell** me one more time.
나에게 한 번 더 **말해** 줘.

□ 0282

text | 동 문자를 보내다 명 글, 본문

[tekst]

Text me.
나에게 **문자를 보내**.

□ 0283

word | 명 단어, 말

[wəːrd]

the meaning of a **word**
단어의 의미

□ 0284

show | 동 보여주다 (showed-shown) 명 공연

[ʃou]

show some pictures to me
나에게 몇몇 사진들을 **보여주다**

□ 0285

for example | 예를 들어

For example, dogs are popular pets.
예를 들어, 개는 인기 있는 반려동물이다.

중1 필수 어휘

□ 0286

discuss | 동 논의하다

[diskʌ́s]

discuss travel plans
여행 계획을 **논의하다**

□ 0287

agree

동 동의하다

[əgríː]

I **agree** with you.
나는 너에게 **동의해**.

□ 0288

question

명 질문 동 질문하다

[kwéstʃən]

an interesting **question**
흥미로운 **질문**

□ 0289

letter

명 편지; 글자, 문자

[létər]

send **letters**
편지를 보내다

□ 0290

shout

동 소리치다, 외치다

[ʃaut]

shout with joy
기뻐 **소리치다**

□ 0291

loudly

부 큰 소리로 반 quietly 조용히

[láudli]

I screamed **loudly**.
나는 **큰 소리로** 비명을 질렀다.

□ 0292

clearly

부 분명히; 또렷하게

[klíərli]

speak **clearly**
분명히 말하다

□ 0293

example

명 예시, 사례, 보기

[igzǽmpl]

an easy **example**
쉬운 **예시**

□ 0294

write 동 (글자·책·편지를) 쓰다 (wrote-written)

[rait]

write a letter
편지를 **쓰다**

□ 0295

speech 명 연설; 말

[spi:tʃ]

his **speech**
그의 **연설**

□ 0296

explain 동 설명하다

[ikspléin]

explain the rules of the game
경기의 규칙을 **설명하다**

□ 0297

receive 동 받다

[risí:v]

receive a gift
선물을 **받다**

□ 0298

mean 동 의미하다; 의도하다 (meant-meant)

[mi:n]

What does "truth" **mean**?
"truth"는 무엇을 **의미하니**?

□ 0299

communication 명 의사소통, 연락

[kəmjù:nəkéiʃən]

communication by phone
전화로 하는 **의사소통**

□ 0300

by the way 그나저나, 그런데

By the way, where are you?
그나저나, 너 어디니?

Daily Test

[01~05] 단어와 뜻을 알맞은 것끼리 연결하세요.

01 say	•	• ⓐ 분명히, 또렷하게
02 ask	•	• ⓑ 편지, 글자
03 letter	•	• ⓒ 묻다
04 clearly	•	• ⓓ (~이라고) 말하다
05 example	•	• ⓔ 예시

[06~15] 영어는 우리말로, 우리말은 영어로 쓰세요.

06 word ______________

07 speech ______________

08 answer ______________

09 communication ______________

10 call ______________

11 보여주다, 공연 ______________

12 소리치다 ______________

13 의미하다, 의도하다 ______________

14 논의하다 ______________

15 설명하다 ______________

[16~20] 우리말과 같은 뜻이 되도록 빈칸에 알맞은 단어를 쓰세요.

16 큰 소리로 말하다 speak ______________

17 책을 쓰다 ______________ a book

18 많은 사람들이 온라인으로 소통한다. 예를 들어, 나는 SNS를 매일 사용한다.
Many people communicate online. ______________, I use SNS every day.

19 그나저나, 지금 몇 시니? ______________, what time is it now?

20 너는 나에게 동의하니? Do you ______________ with me?

Picture Review

사진과 함께 오늘 배운 단어를 다시 기억해보세요.

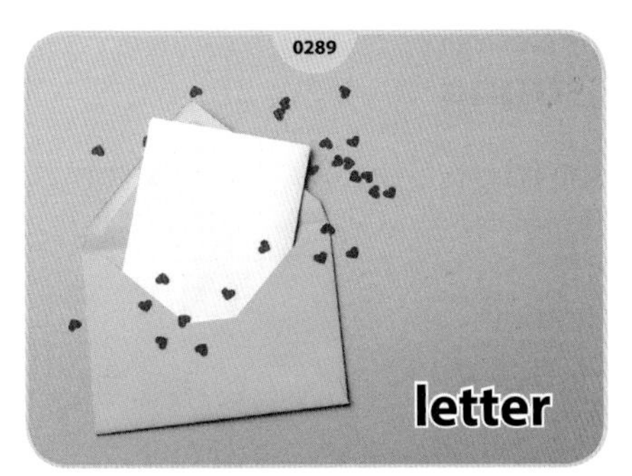

DAY 13

건강

힘이 들 때는 잠깐 rest하는 것이 필요해요.

초등 핵심 어휘

□ 0301

sick 　 형 아픈, 병든

[sik]

She is **sick.**
그녀는 **아프다**.

□ 0302

weak 　 형 약한

[wi:k]

His arms and legs are **weak.**
그의 팔다리는 **약하다**.

□ 0303

strong 　 형 강한, 힘이 센

[strɔ:ŋ]

look **strong**
강해 보이다

□ 0304

blood 　 명 혈액, 피

[blʌd]

blood type
혈액형

□ 0305

health 　 명 건강

[helθ]

health problems
건강 문제

+ healthy 형 건강한

□ 0306

hospital | 명 병원

[hɑ́:spitl]

go to the **hospital**
병원에 가다

□ 0307

die | 동 죽다

[dai]

die of cancer
암으로 **죽다**

□ 0308

fever | 명 열

[fí:vər]

a high **fever**
고열

□ 0309

safe | 형 안전한

[seif]

a **safe** place
안전한 장소

□ 0310

watch out (for) | (~을) 조심하다

watch out for the stairs
계단을 **조심하다**

중1 필수 어휘

□ 0311

hurt | 동 아프다, 다치게 하다 (hurt-hurt)

[hə:rt]

My knees **hurt.**
내 무릎이 **아프다.**

☐ 0312

virus [váiərəs]

명 (병을 일으키는) 바이러스

the flu **virus**
독감 바이러스

☐ 0313

germ [dʒəːrm]

명 세균

Washing hands protects us from **germs.**
손씻기는 우리를 **세균들**로부터 보호한다.

☐ 0314

treat [triːt]

동 치료하다, 처치하다

treat a cold
감기를 **치료하다**

☐ 0315

cure [kjuər]

동 치료하다, 낫게 하다

cure a patient
환자를 **치료하다**

☐ 0316

cough [kɔːf]

동 기침하다 명 기침

cough hard
심하게 **기침하다**

☐ 0317

sneeze [sniːz]

동 재채기하다 명 재채기

sneeze loudly
큰 소리로 **재채기하다**

☐ 0318

pain [pein]

명 고통, 아픔

feel **pain**
고통을 느끼다

□ 0319

ache

동 아프다 명 아픔

[eik]

My teeth **ache.**
나의 이가 **아프다.**

□ 0320

headache

명 두통

[hédeik]

have a **headache**
두통이 있다

□ 0321

rest

동 쉬다, 휴식하다 명 휴식

[rest]

rest for a while
잠시 동안 **쉬다**

□ 0322

relax

동 편히 쉬다, 휴식을 취하다

[rilǽks]

You should **relax.**
너는 **편히 쉬어야** 해.

□ 0323

exercise

명 운동 동 운동하다

[éksərsàiz]

regular **exercise**
규칙적인 **운동**

□ 0324

gym

명 체육관

[dʒim]

our school **gym**
우리 학교 **체육관**

□ 0325

at last

마침내, 드디어

At last, I became healthy.
마침내, 나는 건강해졌다.

Daily Test

[01~05] 단어와 뜻을 알맞은 것끼리 연결하세요.

01 cure	•	• ⓐ 안전한
02 relax	•	• ⓑ 치료하다
03 ache	•	• ⓒ 편히 쉬다
04 germ	•	• ⓓ 아프다, 아픔
05 safe	•	• ⓔ 세균

[06~15] 영어는 우리말로, 우리말은 영어로 쓰세요.

06 treat ______________

07 pain ______________

08 hurt ______________

09 die ______________

10 exercise ______________

11 바이러스 ______________

12 약한 ______________

13 아픈 ______________

14 혈액 ______________

15 건강 ______________

[16~20] 우리말과 같은 뜻이 되도록 빈칸에 알맞은 단어를 쓰세요.

16 체육관에서 운동하다 work out in a(n) ______________

17 차를 조심하다 ______________ cars

18 나는 힘이 세다. I am ______________.

19 어떤 사람들은 알레르기 때문에 재채기한다.
Some people ______________ because of allergies.

20 나는 드디어 체중을 줄였다. I lost weight ______________.

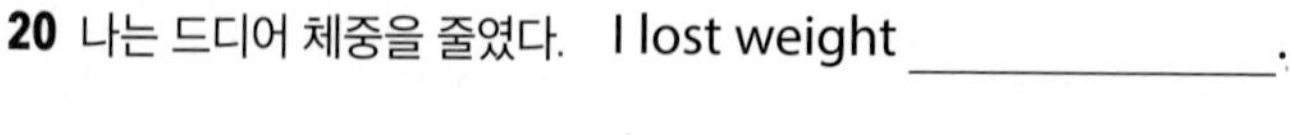

Picture Review

사진과 함께 오늘 배운 단어를 다시 기억해보세요.

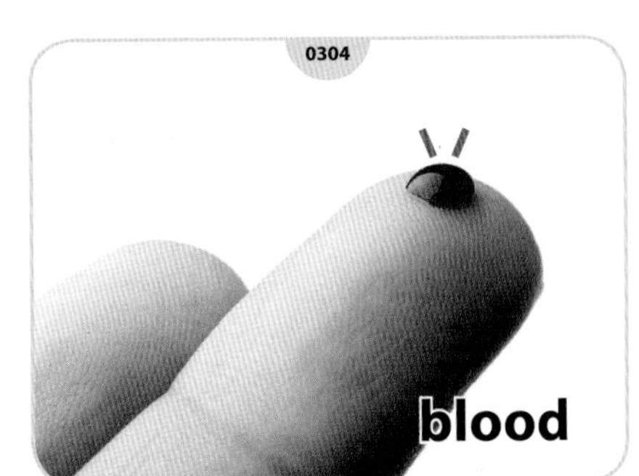

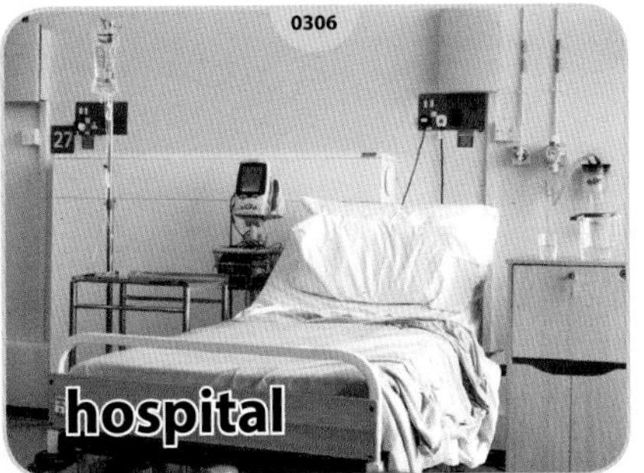

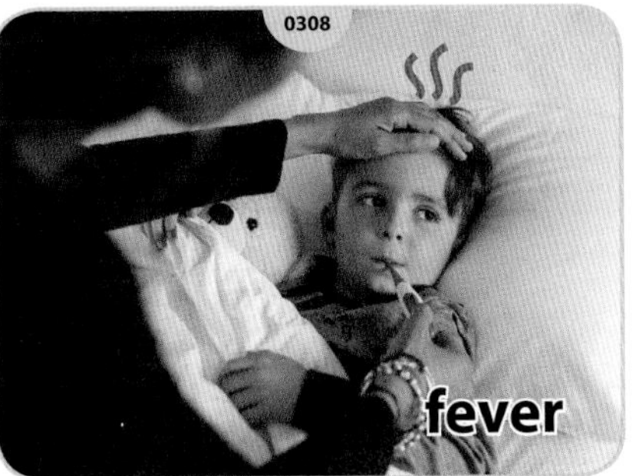

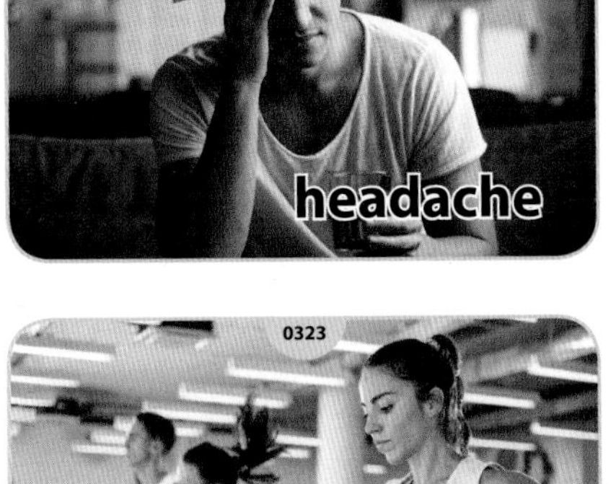

HACKERS
NEWS

HACKERS

SECTION 3

Daily Life

일상 생활

DAY 14 장소

MP3 바로 듣기

여러분이 가장 편안함을 느끼는 place는 어디인가요?

초등 핵심 어휘

□ 0326

place [pleis]

명 장소, 곳 동 놓다, 두다 유 put

a new **place**
새로운 **장소**

□ 0327

city [síti]

명 도시

a big **city**
대도시

□ 0328

town [taun]

명 소도시, 마을

an old **town**
오래된 **소도시**

□ 0329

visit [vízit]

동 방문하다, 찾아가다 명 방문

visit a sandwich shop
샌드위치 가게를 **방문하다**

□ 0330

park [pɑːrk]

명 공원

walk in the **park**
공원에서 걷다

☐ 0331

bank [bæŋk]

명 은행

go to the **bank**
은행에 가다

☐ 0332

store [stɔːr]

명 상점, 가게 동 저장하다

online **stores**
온라인 **상점들**

☐ 0333

zoo [zuː]

명 동물원

a large **zoo**
큰 **동물원**

☐ 0334

church [tʃəːrtʃ]

명 교회

go to **church** every Sunday
매주 일요일에 **교회**에 가다

☐ 0335

pass by

옆을 지나다, 지나치다

pass by a bookstore
서점 **옆을 지나다**

중1 필수 어휘

☐ 0336

market [máːrkit]

명 시장, 장

a flea **market**
벼룩**시장**

□ 0337

here 부 여기에, 여기로

[hiər]

You can stay **here.**
너는 **여기에** 머물러도 돼.

□ 0338

there 부 그곳에, 그곳으로

[ðər]

I want to go **there.**
나는 **그곳에** 가고 싶다.

□ 0339

theater 명 극장

[θíːətər]

a big **theater**
큰 **극장**

□ 0340

station 명 정거장, 역

[stéiʃən]

a bus **station**
버스 **정거장**

□ 0341

bakery 명 빵집

[béikəri]

next to the **bakery**
빵집 옆에

□ 0342

museum 명 박물관, 미술관

[mjuːzíːəm]

the British **Museum**
대영 **박물관**

□ 0343

office 명 사무실

[ɔ́ːfis]

They are in the **office.**
그들은 **사무실**에 있다.

□ 0344

village

[vílidʒ]

명 마을

a beautiful **village**
아름다운 **마을**

□ 0345

square

[skweər]

명 광장; 정사각형

the main **square**
주 **광장**

DAY 14

해커스 보카 중학 기초

□ 0346

palace

[pǽlis]

명 궁전

the history of the **palace**
궁전의 역사

□ 0347

temple

[témpl]

명 사원, 신전

a Buddhist **temple**
불교 **사원**

□ 0348

airport

[érpɔːrt]

명 공항

arrive at the **airport**
공항에 도착하다

□ 0349

reach

[riːtʃ]

동 도착하다; (손을) 뻗다

reach the top of the mountain
산의 정상에 **도착하다**

□ 0350

stop by

잠시 들르다

stop by the bookstore
서점에 **잠시 들르다**

Daily Test

[01~05] 단어와 뜻을 알맞은 것끼리 연결하세요.

01 visit	ⓐ 은행
02 bank	ⓑ 상점, 저장하다
03 there	ⓒ 마을
04 store	ⓓ 방문하다, 방문
05 village	ⓔ 그곳에

[06~15] 영어는 우리말로, 우리말은 영어로 쓰세요.

06 town ____________

07 park ____________

08 temple ____________

09 airport ____________

10 station ____________

11 교회 ____________

12 시장 ____________

13 광장, 정사각형 ____________

14 도착하다, (손을) 뻗다 ____________

15 사무실 ____________

[16~20] 우리말과 같은 뜻이 되도록 빈칸에 알맞은 단어를 쓰세요.

16 조용한 곳 a quiet ____________

17 그의 집을 지나치다 ____________ his house

18 나는 여기에 산다. I live ____________.

19 빵집이 어디에 있니? Where is the ____________?

20 Ken은 병원에 잠시 들를 것이다.
Ken will ____________ the hospital.

Picture Review

사진과 함께 오늘 배운 단어를 다시 기억해보세요.

DAY 15 집

여러분의 house에서 가장 좋아하는 장소는 어디인가요?

초등 핵심 어휘

□ 0351

house [haus]

명 집

a big **house**
큰 집

□ 0352

stay [stei]

동 머무르다, 지내다

stay at Tom's house
Tom의 집에 **머무르다**

□ 0353

door [dɔːr]

명 문; 출입구

close the **door**
문을 닫다

□ 0354

wall [wɔːl]

명 벽, 담

hang a painting on the **wall**
벽에 그림을 걸다

□ 0355

window [wíndou]

명 창문

a broken **window**
깨진 **창문**

□ 0356

bedroom

[bédru:m]

명 침실

This is my **bedroom**.
이곳은 내 **침실**이다.

□ 0357

bathroom

[bǽθru:m]

명 욕실, 화장실

in the **bathroom**
욕실에서

□ 0358

kitchen

[kítʃən]

명 부엌, 주방

a smell from the **kitchen**
부엌에서 나는 냄새

□ 0359

garden

[gá:rdn]

명 정원, 뜰

flowers in the **garden**
정원에 있는 꽃들

□ 0360

on one's own

혼자 힘으로, 스스로

I clean my house **on my own**.
나는 **혼자 힘으로** 나의 집을 청소한다.

중1 필수 어휘

□ 0361

pool

[pu:l]

명 수영장; 웅덩이

a wide **pool**
넓은 **수영장**

DAY 15

해커스 보카 중학 기초

□ 0362

gate [geit]

명 대문

open the **gate**
대문을 열다

□ 0363

exit [éksit]

명 출구

the nearest **exit**
가장 가까운 **출구**

□ 0364

brick [brik]

명 벽돌

build a house with **bricks**
벽돌로 집을 짓다

□ 0365

floor [flɔːr]

명 바닥; (건물의) 층

a wet **floor**
젖은 **바닥**

□ 0366

stair [steər]

명 (-s) 계단

go up the **stairs**
계단을 오르다

□ 0367

shake [ʃeik]

동 흔들리다, 흔들다 (shook-shaken)

The windows **shake** when it's windy.
바람이 불 때 창문이 **흔들린다**.

□ 0368

knock [nɑːk]

동 (문을) 두드리다, 노크하다 명 노크

knock on the door two times
문을 두 번 **두드리다**

□ 0369

roof 명 지붕

[ru:f]

on the **roof**
지붕 위에

□ 0370

garage 명 차고, 주차장

[gərɑ́:dʒ]

a car inside a **garage**
차고 안에 있는 자동차

□ 0371

yard 명 마당, 뜰

[jɑ:rd]

in the back **yard**
뒷**마당**에서

□ 0372

basement 명 지하실, 지하층

[béismənt]

a large **basement**
넓은 **지하실**

□ 0373

living room 명 거실

put the sofa in the **living room**
소파를 **거실**에 놓다

□ 0374

housework 명 집안일, 가사

[háuswə:rk]

do the **housework**
집안일을 하다

□ 0375

look around 둘러보다

look around a new home
새로운 집을 **둘러보다**

Daily Test

[01~05] 단어와 뜻을 알맞은 것끼리 연결하세요.

01 garden • • ⓐ 대문

02 gate • • ⓑ 정원

03 house • • ⓒ 흔들리다

04 basement • • ⓓ 지하실

05 shake • • ⓔ 집

[06~15] 영어는 우리말로, 우리말은 영어로 쓰세요.

06 bathroom ______________

07 yard ______________

08 pool ______________

09 exit ______________

10 garage ______________

11 침실 ______________

12 혼자 힘으로 ______________

13 거실 ______________

14 머무르다 ______________

15 바닥, (건물의) 층 ______________

[16~20] 우리말과 같은 뜻이 되도록 빈칸에 알맞은 단어를 쓰세요.

16 창문을 두드리다 ______________ on the window

17 방을 둘러보다 ______________ the room

18 지붕의 색깔이 빨간색이다. The color of the ______________ is red.

19 나는 일요일에 집안일을 할 것이다. I will do ______________ on Sunday.

20 벽이 벽돌들로 만들어졌다. The wall is made of ______________.

Picture Review

사진과 함께 오늘 배운 단어를 다시 기억해보세요.

DAY 16

가구와 가정용품

요즘에는 유선 telephone이 없는 집이 많은 것 같아요.

초등 핵심 어휘

□ 0376

bed — 명 침대

[bed]

jump on the **bed**
침대 위에서 뛰다

□ 0377

clock — 명 시계

[klɑːk]

Look at the **clock.**
시계를 봐라.

□ 0378

album — 명 앨범, 사진첩

[ǽlbəm]

a family **album**
가족 **앨범**

□ 0379

key — 명 열쇠

[kiː]

Where are my **keys**?
내 **열쇠**가 어디 있니?

□ 0380

mirror — 명 거울

[mírər]

in front of the **mirror**
거울 앞에서

□ 0381

doll

명 인형

[dɑːl]

a **doll** on the sofa
소파 위의 **인형**

□ 0382

lamp

명 램프, 등

[læmp]

turn on the **lamp**
램프를 켜다

□ 0383

thing

명 물건, 것

[θiŋ]

an important **thing**
중요한 **물건**

□ 0384

table

명 탁자, 식탁

[téibl]

a round **table**
둥근 **탁자**

□ 0385

such as

~과 같은

items **such as** desks and chairs
책상과 의자**와 같은** 물건들

중 1 필수 어휘

□ 0386

television

명 텔레비전

[téləvìʒən]

watch **television**
텔레비전을 보다

□ 0387

vase 명 꽃병

[veis]

an old **vase**
오래된 **꽃병**

□ 0388

closet 명 옷장, 벽장

[klɑ́:zit]

put clothes in a **closet**
옷을 **옷장** 속에 넣다

□ 0389

calendar 명 달력

[kǽləndər]

write on the **calendar**
달력에 쓰다

□ 0390

telephone 명 전화, 전화기

[téləfòun]

The **telephone** rings.
전화가 울린다.

□ 0391

drawer 명 서랍

[drɔ:r]

lock the **drawer**
서랍을 잠그다

□ 0392

shelf 명 선반 복 shelves

[ʃelf]

on the **shelf**
선반 위에

□ 0393

soap 명 비누

[soup]

wash hands with **soap**
비누로 손을 씻다

☐ 0394

sink [siŋk]

명 싱크대

the plates in the **sink**
싱크대 안의 접시들

☐ 0395

towel [táuəl]

명 수건, 타월

a wet **towel**
젖은 **수건**

☐ 0396

toilet [tɔ́ilit]

명 변기; 화장실

clean the **toilet**
변기를 청소하다

☐ 0397

curtain [kə́:rtn]

명 커튼

a new **curtain** in the living room
거실에 있는 새 **커튼**

☐ 0398

decorate [dékərèit]

동 꾸미다, 장식하다

decorate the room
방을 **꾸미다**

☐ 0399

magnet [mǽgnit]

명 자석

a refrigerator **magnet**
냉장고 **자석**

☐ 0400

turn off

(전기·가스·수도 등을) 끄다, 잠그다

turn off the stove
가스레인지를 **끄다**

Daily Test

[01~05] 단어와 뜻을 알맞은 것끼리 연결하세요.

01 clock	ⓐ 옷장
02 thing	ⓑ 물건
03 vase	ⓒ 꽃병
04 closet	ⓓ 변기, 화장실
05 toilet	ⓔ 시계

[06~15] 영어는 우리말로, 우리말은 영어로 쓰세요.

06 decorate ____________

07 mirror ____________

08 magnet ____________

09 telephone ____________

10 doll ____________

11 수건 ____________

12 침대 ____________

13 커튼 ____________

14 텔레비전 ____________

15 서랍 ____________

[16~20] 우리말과 같은 뜻이 되도록 빈칸에 알맞은 단어를 쓰세요.

16 달력을 보다 look at the ____________

17 샴푸와 비누와 같은 것들 things ____________ shampoo and soap

18 라디오를 꺼라. ____________ the radio.

19 나는 사진 앨범을 받았다. I got a photo ____________.

20 컵을 선반 위에 두어라. Put the cup on the ____________.

Picture Review

사진과 함께 오늘 배운 단어를 다시 기억해보세요.

DAY 17 음식과 요리

MP3 바로 듣기

한 step, 두 step, 서두르지 말고 차근차근 꿈을 위해 노력해봐요. :)

초등 핵심 어휘

□ 0401

food — 명 음식

[fu:d]

He likes Japanese **food**.
그는 일본 **음식**을 좋아한다.

□ 0402

oil — 명 기름, 식용유

[ɔil]

fry the meat in hot **oil**
고기를 뜨거운 **기름**에 튀기다

□ 0403

water — 명 물 동 (식물에) 물을 주다

[wɔ́:tər]

warm **water**
따뜻한 **물**

□ 0404

milk — 명 우유

[milk]

drink **milk** every day
매일 **우유**를 마시다

□ 0405

salt — 명 소금

[sɔ:lt]

pass the **salt**
소금을 건네주다

□ 0406

sugar [ʃúgər]

명 설탕

white **sugar**
백설탕

□ 0407

fire [faiər]

명 불; 화재

cook the eggs with **fire**
불로 계란을 요리하다

□ 0408

meat [miːt]

명 고기

I do not eat **meat.**
나는 **고기**를 먹지 않는다.

□ 0409

cut [kʌt]

동 자르다 (cut-cut)

cut tomatoes
토마토를 자르다

□ 0410

take out

꺼내다; 가지고 나가다

take out a cup
컵을 꺼내다

중1 필수 어휘

□ 0411

cook [kuk]

동 요리하다 명 요리사

cook meat
고기를 요리하다

□ 0412

boil 동 끓이다, 끓다

[bɔil]

boil the water
물을 **끓이다**

□ 0413

bake 동 굽다

[beik]

I can **bake** bread.
나는 빵을 **구울** 수 있다.

□ 0414

fry 동 (기름에) 튀기다

[frai]

fry some chicken
약간의 닭을 **튀기다**

□ 0415

mix 동 섞다, 섞이다

[miks]

mix chocolate and vanilla ice cream
초콜릿과 바닐라 아이스크림을 **섞다**

□ 0416

step 명 단계; 걸음

[step]

follow the **steps** in the recipe
요리법의 **단계들**을 따르다

□ 0417

peel 동 껍질을 벗기다 명 껍질

[piːl]

peel an orange
오렌지의 **껍질을 벗기다**

□ 0418

vegetable 명 채소

[védʒətəbl]

fresh **vegetables**
신선한 **채소들**

□ 0419

sauce

명 소스

[sɔːs]

use different **sauces**
다른 **소스들**을 사용하다

□ 0420

pepper

명 후추

[pépər]

add **pepper** to the soup
수프에 **후추**를 더하다

□ 0421

flour

명 밀가루

[fláuər]

mix **flour** and sugar
밀가루와 설탕을 섞다

□ 0422

noodle

명 국수, 면

[núːdl]

spicy **noodles**
매운 **국수**

□ 0423

rice

명 밥, 쌀, 벼

[rais]

a bowl of **rice**
밥 한 그릇

□ 0424

plate

명 접시; 요리 유 dish

[pleit]

a round **plate**
둥근 **접시**

□ 0425

be made of

~으로 만들어지다, 구성되다

Chocolate **is made of** cacao and sugar.
초콜릿은 카카오와 설탕**으로 만들어진다**.

Daily Test

[01~05] 단어와 뜻을 알맞은 것끼리 연결하세요.

01 oil	•	• ⓐ 밥
02 milk	•	• ⓑ 단계, 걸음
03 boil	•	• ⓒ 끓이다
04 step	•	• ⓓ 우유
05 rice	•	• ⓔ 기름

[06~15] 영어는 우리말로, 우리말은 영어로 쓰세요.

06 food ______________

07 sugar ______________

08 bake ______________

09 mix ______________

10 flour ______________

11 소금 ______________

12 채소 ______________

13 불, 화재 ______________

14 (기름에) 튀기다 ______________

15 소스 ______________

[16~20] 우리말과 같은 뜻이 되도록 빈칸에 알맞은 단어를 쓰세요.

16 접시 위의 샌드위치 the sandwich on the ______________

17 요리책을 꺼내다 ______________ the cookbook

18 그녀는 저녁을 요리할 것이다. She will ______________ dinner.

19 오믈렛은 달걀로 만들어진다. An omelette ______________ eggs.

20 이 사과를 반으로 잘라줄 수 있니?
Would you ______________ this apple in half?

Picture Review

사진과 함께 오늘 배운 단어를 다시 기억해보세요.

DAY 18

식당

기운이 없을 땐 친구들과 달콤한 dessert를 먹으면 힘이 날 거예요.

초등 핵심 어휘

□ 0426

eat [iːt]

동 먹다, 식사하다 (ate-eaten)

eat chicken
치킨을 먹다

□ 0427

drink [driŋk]

동 (음료를) 마시다 (drank-drunk) 명 마실 것

drink tea and coffee
차와 커피를 마시다

□ 0428

fork [fɔːrk]

명 포크

use a **fork**
포크를 사용하다

□ 0429

knife [naif]

명 칼 복 knives

a sharp **knife**
날카로운 칼

□ 0430

spoon [spuːn]

명 숟가락, 스푼

a plastic **spoon**
플라스틱 숟가락

□ 0431

menu [ménjuː]

명 메뉴, 식단표

What is on the **menu** today?
오늘 **메뉴**에는 무엇이 있니?

□ 0432

dish [diʃ]

명 요리; 접시 유 plate

a special **dish**
특별한 **요리**

□ 0433

cup [kʌp]

명 컵, 잔

a **cup** of milk
우유 한 **컵**

□ 0434

juice [dʒuːs]

명 주스, 즙

I like grape **juice**.
나는 포도 **주스**를 좋아한다.

□ 0435

take away

치우다; 빼앗다

take away the empty plates
빈 접시들을 **치우다**

중1 필수 어휘

□ 0436

pour [pɔːr]

동 따르다, 붓다

pour water into a glass
유리잔에 물을 **따르다**

□ 0437

soup [su:p]

명 수프, 국

boil the **soup**
수프를 끓이다

□ 0438

meal [mi:l]

명 식사, 끼니

during a **meal**
식사 중에

□ 0439

dessert [dizə́:rt]

명 디저트, 후식

my favorite **dessert**
내가 아주 좋아하는 **디저트**

□ 0440

delicious [dilíʃəs]

형 아주 맛있는 유 tasty

I made a **delicious** lunch.
나는 **아주 맛있는** 점심을 만들었다.

□ 0441

hungry [hʌ́ŋgri]

형 배고픈, 굶주린 반 full 배부른

a **hungry** child
배고픈 아이

□ 0442

thirsty [θə́:rsti]

형 목이 마른

He was **thirsty**.
그는 목이 말랐다.

□ 0443

seat [si:t]

명 자리, 좌석

take a **seat**
자리에 앉다

□ 0444

waiter | 명 종업원, 웨이터

[wéitər]

The **waiter** took an order.
종업원이 주문을 받았다.

□ 0445

restaurant | 명 레스토랑, 음식점

[réstərənt]

open a **restaurant**
레스토랑을 열다

□ 0446

serve | 동 (음식을) 제공하다, 차리다

[sə:rv]

serve pasta
파스타를 **제공하다**

□ 0447

service | 명 (식당·상점에서의 손님에 대한) 서비스

[sə́:rvis]

delivery **services**
배달 **서비스**

□ 0448

order | 동 주문하다 명 주문

[ɔ́:rdər]

May I **order**?
주문해도 될까요?

□ 0449

chopstick | 명 (-s) 젓가락

[tʃɑ́:pstik]

wooden **chopsticks**
나무로 된 **젓가락**

□ 0450

right away | 바로, 즉시

Serve the meal **right away**.
바로 식사를 제공해라.

Daily Test

[01~05] 단어와 뜻을 알맞은 것끼리 연결하세요.

01 meal	●	● ⓐ (음식을) 제공하다
02 serve	●	● ⓑ 배고픈
03 knife	●	● ⓒ 주문하다, 주문
04 order	●	● ⓓ 칼
05 hungry	●	● ⓔ 식사

[06~15] 영어는 우리말로, 우리말은 영어로 쓰세요.

06 chopstick ____________

07 dish ____________

08 pour ____________

09 delicious ____________

10 thirsty ____________

11 포크 ____________

12 주스 ____________

13 컵 ____________

14 레스토랑 ____________

15 메뉴 ____________

[16~20] 우리말과 같은 뜻이 되도록 빈칸에 알맞은 단어를 쓰세요.

16 국을 먹다 eat the ____________

17 사용된 그릇들을 치우다 ____________ the used bowls

18 핫초코를 숟가락으로 섞어라. Mix hot chocolate with a(n) ____________.

19 우리는 서비스에 대해 팁을 내야 한다.
We should pay a tip for the ____________.

20 그 카페는 즉시 유명해졌다.
The café became famous ____________.

Picture Review

사진과 함께 오늘 배운 단어를 다시 기억해보세요.

DAY 19

의복

일곱 번 넘어져도 다시 일어나서 try하는 끈기 있는 사람이 되길 바라요!

초등 핵심 어휘

□ 0451

pants 명 바지

[pænts]

buy new **pants**
새로운 **바지**를 사다

□ 0452

skirt 명 치마

[skəːrt]

a short **skirt**
짧은 **치마**

□ 0453

sock 명 (-s) 양말

[sak]

holes in my **socks**
내 **양말**에 있는 구멍들

□ 0454

shoe 명 (-s) 신발, 구두

[ʃuː]

hiking **shoes**
등산 **신발**

□ 0455

glove 명 (-s) 장갑

[glʌv]

a pair of **gloves**
장갑 한 켤레

□ 0456

belt

[belt]

명 벨트, 허리띠

a leather **belt**
가죽 **벨트**

□ 0457

cap

[kæp]

명 (앞부분에 챙이 달린) 모자

a baseball **cap**
야구 **모자**

□ 0458

hat

[hæt]

명 모자

put on a **hat**
모자를 쓰다

□ 0459

scarf

[skɑːrf]

명 스카프, 목도리 복 scarves

tie a **scarf**
스카프를 매다

□ 0460

put on

~을 입다[쓰다/신다]

put on a jacket
윗옷을 입다

중1 필수 어휘

□ 0461

clothes

[klouz]

명 옷, 의복

old **clothes**
오래된 옷

□ 0462

style [stail]

명 스타일, 방식

a popular **style**
인기 있는 **스타일**

□ 0463

wear [weər]

동 쓰고[입고/신고] 있다 (wore-worn)

wear a hat
모자를 **쓰고 있다**

□ 0464

try [trai]

동 시도하다, 해보다; 노력하다

try a new fashion style
새로운 패션 스타일을 **시도하다**

□ 0465

shirt [ʃəːrt]

명 셔츠

I will buy a new **shirt**.
나는 새로운 **셔츠**를 살 거야.

□ 0466

dress [dres]

명 원피스, 드레스

a black **dress**
검은색 **원피스**

□ 0467

jacket [dʒǽkit]

명 재킷, 윗옷

Take off your **jacket**.
네 **재킷**을 벗어라.

□ 0468

jeans [dʒiːnz]

명 청바지

a pair of **jeans**
청바지 한 벌

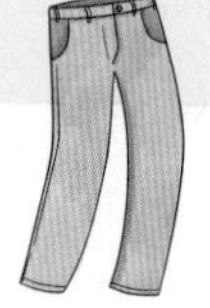

□ 0469

sweater

[swétər]

명 스웨터

a wool **sweater**
양모 **스웨터**

□ 0470

coat

[kout]

명 코트, 윗옷

buy a long **coat**
긴 **코트**를 사다

□ 0471

put

[put]

동 넣다, 놓다 (put-put)

put the shirts in the closet
옷장에 셔츠들을 **넣다**

□ 0472

boot

[buːt]

명 (-s) 장화, 부츠

He dried his **boots.**
그는 자신의 **장화**를 말렸다.

□ 0473

pocket

[pákit]

명 주머니

money in my **pocket**
내 **주머니** 속의 돈

□ 0474

colorful

[kʌ́lərfəl]

형 다채로운, 색채가 풍부한

her **colorful** T-shirts
그녀의 **다채로운** 티셔츠들

□ 0475

because of

~ 때문에

I put on a raincoat **because of** the rain.
나는 비 **때문에** 우비를 입었다.

Daily Test

[01~05] 단어와 뜻을 알맞은 것끼리 연결하세요.

01 shoe	ⓐ 셔츠
02 dress	ⓑ 원피스
03 colorful	ⓒ 신발
04 shirt	ⓓ 넣다
05 put	ⓔ 다채로운

[06~15] 영어는 우리말로, 우리말은 영어로 쓰세요.

06 cap ______________

07 pants ______________

08 clothes ______________

09 try ______________

10 glove ______________

11 스카프 ______________

12 장화 ______________

13 재킷 ______________

14 코트 ______________

15 스타일 ______________

[16~20] 우리말과 같은 뜻이 되도록 빈칸에 알맞은 단어를 쓰세요.

16 선글라스를 쓰다 ______________ sunglasses

17 양말 한 켤레 a pair of ______________

18 허리띠가 잘 맞는다. The ______________ fits well.

19 내 스웨터를 세탁해줄 수 있니? Can you wash my ______________?

20 비 때문에 내 가방이 젖었다. My bag is wet ______________ the rain.

Picture Review

사진과 함께 오늘 배운 단어를 다시 기억해보세요.

DAY 20 학교

오늘 저녁에는 퇴근하신 부모님을 반갑게 greet해드리면 어떨까요?

초등 핵심 어휘

□ 0476

school 명 학교

[sku:l]

I go to middle **school.**
나는 중**학교**에 다닌다.

□ 0477

classroom 명 교실

[klǽsru:m]

in the **classroom**
교실에서

□ 0478

student 명 학생

[stjú:dnt]

first-year **students**
1학년 **학생들**

□ 0479

teacher 명 선생님, 교사

[tí:tʃər]

a math **teacher**
수학 **선생님**

□ 0480

library 명 도서관

[láibrèri]

at the **library**
도서관에서

☐ 0481

grow

[grou]

동 성장하다, 커지다 (grew-grown)

grow bigger
더 크게 **성장하다**

☐ 0482

welcome

[wélkəm]

동 환영하다

welcome a new friend
새로운 친구를 **환영하다**

☐ 0483

basic

[béisik]

형 기초적인, 기본적인

basic concepts
기초적인 개념들

☐ 0484

goal

[goul]

명 목표; 골, 득점

Amanda's next **goal**
Amanda의 다음 **목표**

☐ 0485

on one's way

~로 가는 길에, 가는 도중에

I met John **on my way** to school.
나는 학교**로 가는 길에** John을 만났다.

중1 필수 어휘

☐ 0486

subject

[sʌ́bdʒikt]

명 과목; 주제, 테마

my favorite subject
내가 아주 좋아하는 **과목**

DAY 20

해커스 보카 중학 기초

□ 0487

classmate 명 반 친구

[klǽsmeit]

Tom is my **classmate.**
Tom은 나의 **반 친구**이다.

□ 0488

principal 명 교장

[prínsəpəl]

the **principal**'s office
교장실

□ 0489

playground 명 놀이터, 운동장

[pléigràund]

on the **playground**
놀이터에서

□ 0490

rule 명 규칙

[ru:l]

follow the safety **rules**
안전 **규칙들**을 따르다

□ 0491

hall 명 복도; 강당

[hɔ:l]

run across the **hall**
복도를 가로질러 달리다

□ 0492

cafeteria 명 카페테리아, 급식실

[kæ̀fətíəriə]

eat lunch in the **cafeteria**
카페테리아에서 점심을 먹다

□ 0493

elementary 형 초등의, 기본의

[èləméntəri]

an **elementary** school
초등학교

□ 0494

uniform

[jú:nəfɔ̀:rm]

명 교복, 유니폼

wear a **uniform**
교복을 입다

□ 0495

level

[lévəl]

명 수준, 단계

at the same **level**
같은 **수준**에 있는

□ 0496

grade

[greid]

명 학년; 등급

I am in the third **grade**.
나는 3**학년**이다.

□ 0497

junior

[dʒú:njər]

형 (손)아래의, 후배의 명 (손)아랫사람, 후배

James is two years **junior** to me.
James는 나보다 두 살 **아래**이다.

□ 0498

greet

[gri:t]

동 인사하다, 환영하다

greet each other
서로 **인사하다**

□ 0499

graduate

[grǽdʒuèit]

동 졸업하다

graduate from high school
고등학교를 **졸업하다**

□ 0500

do one's best

최선을 다하다

I will **do my best** on the test.
나는 시험에서 **최선을 다할** 것이다.

Daily Test

[01~05] 단어와 뜻을 알맞은 것끼리 연결하세요.

01 basic	•	• ⓐ 기초적인
02 junior	•	• ⓑ 성장하다
03 level	•	• ⓒ (손)아래의, (손)아랫사람
04 grow	•	• ⓓ 수준
05 playground	•	• ⓔ 놀이터

[06~15] 영어는 우리말로, 우리말은 영어로 쓰세요.

06 elementary ______________

07 rule ______________

08 grade ______________

09 graduate ______________

10 welcome ______________

11 학교 ______________

12 반 친구 ______________

13 목표, 골 ______________

14 과목, 주제 ______________

15 교장 ______________

[16~20] 우리말과 같은 뜻이 되도록 빈칸에 알맞은 단어를 쓰세요.

16 고등학교 교복 a high-school ______________

17 축구 경기에서 나의 최선을 다하다 ______________ in the soccer game

18 복도에서 뛰지 마라. Don't run in the ______________.

19 학생들이 열심히 공부하고 있다. ______________ are studying hard.

20 도서관에 가는 길에, 그는 가방을 잃어버렸다.

______________ to the library, he lost his bag.

Picture Review

사진과 함께 오늘 배운 단어를 다시 기억해보세요.

DAY 21 수업

MP3 바로 듣기

Late하다고 생각했을 때가 가장 빠를 때랍니다.

초등 핵심 어휘

□ 0501

class [klæs]

명 반, 학급; 수업

the tallest student in my **class**
나의 **반**에서 가장 키가 큰 학생

□ 0502

teach [tiːtʃ]

동 가르치다 (taught-taught)

He **teaches** English.
그는 영어를 **가르친다**.

□ 0503

learn [ləːrn]

동 배우다

learn new words
새로운 단어들을 **배우다**

□ 0504

quiz [kwiz]

명 퀴즈, 간단한 시험

pass the **quiz**
퀴즈를 통과하다

□ 0505

test [test]

명 시험

take a math **test**
수학 **시험**을 보다

□ 0506

easy | 형 쉬운

[íːzi]

The quiz was **easy.**
퀴즈가 **쉬웠다.**

□ 0507

difficult | 형 어려운 유 hard

[dífikəlt]

difficult subjects
어려운 과목들

□ 0508

read | 동 읽다 (read-read)

[riːd]

read a book
책을 **읽다**

□ 0509

late | 형 늦은 부 늦게 반 early 이른; 일찍

[leit]

Jinny was **late** for school.
Jinny는 학교에 **늦었다.**

□ 0510

on time | 제시간에, 정각에

The class finished **on time.**
수업이 **제시간에** 끝났다.

중1 필수 어휘

□ 0511

study | 동 공부하다 명 공부

[stʌ́di]

study hard
열심히 **공부하다**

□ 0512

exam 명 시험

[igzǽm]

take an **exam**
시험을 보다

□ 0513

homework 명 숙제

[hóumwəːrk]

Remember your **homework.**
네 **숙제**를 기억해라.

□ 0514

source 명 출처; 원천, 근원

[sɔːrs]

source of information
정보의 **출처**

□ 0515

review 동 복습하다; 재검토하다

[rivjúː]

review the textbook
교과서를 **복습하다**

□ 0516

attend 동 출석하다, 참석하다

[əténd]

attend the class
수업에 **출석하다**

□ 0517

absent 형 결석한

[ǽbsənt]

I was **absent** because of a cold.
나는 감기 때문에 **결석했다**.

□ 0518

skip 동 빠지다, 빼먹다; 건너뛰다

[skip]

skip the school
학교를 **빠지다**

□ 0519

correct

[kərékt]

형 옳은, 정확한 유 right

correct answers
옳은 답들

□ 0520

wrong

[rɔːŋ]

형 틀린, 잘못된

wrong information
틀린 정보

□ 0521

practice

[prǽktis]

동 연습하다

practice every day
매일 **연습하다**

□ 0522

tough

[tʌf]

형 힘든, 어려운

a **tough** day at school
학교에서의 **힘든** 하루

□ 0523

lesson

[lésn]

명 (-s) 수업; 교훈

music **lessons**
음악 **수업**

□ 0524

course

[kɔːrs]

명 강의, 과목

take an online **course**
온라인 **강의**를 수강하다

□ 0525

put up

~을 위로 들다, 올리다; 게시하다

Put up your hand before speaking.
말하기 전에 손을 **위로 드**세요.

Daily Test

[01~05] 단어와 뜻을 알맞은 것끼리 연결하세요.

01 easy	•	• ⓐ 힘든
02 learn	•	• ⓑ 수업, 교훈
03 lesson	•	• ⓒ 출처, 원천
04 tough	•	• ⓓ 쉬운
05 source	•	• ⓔ 배우다

[06~15] 영어는 우리말로, 우리말은 영어로 쓰세요.

06 late ______________

07 test ______________

08 absent ______________

09 course ______________

10 practice ______________

11 퀴즈 ______________

12 반, 수업 ______________

13 공부하다, 공부 ______________

14 복습하다, 재검토하다 ______________

15 출석하다 ______________

[16~20] 우리말과 같은 뜻이 되도록 빈칸에 알맞은 단어를 쓰세요.

16 학교에 제시간에 도착하다 arrive at school ______________

17 게시판에 포스터들을 게시하다 ______________ posters on the board

18 그들은 결코 수업을 빠지지 않는다. They never ______________ the class.

19 그의 답은 틀렸다. His answer is ______________.

20 나는 숙제를 일찍 끝냈다. I finished my ______________ early.

Picture Review

사진과 함께 오늘 배운 단어를 다시 기억해보세요.

DAY 22 교실과 학용품

어려운 단어는 종이에 write down하면 더 잘 외워진대요!

초등 핵심 어휘

□ 0526

book 명 책

[buk]

three **books**
세 권의 **책들**

□ 0527

desk 명 책상

[desk]

clear my **desk**
내 **책상**을 치우다

□ 0528

chair 명 의자

[tʃeər]

on the **chair**
의자 위에

□ 0529

pen 명 펜

[pen]

a black **pen**
검정 **펜**

□ 0530

pencil 명 연필

[pénsəl]

write with a **pencil**
연필로 쓰다

☐ 0531

eraser

[iréisər]

명 지우개

Where is your **eraser**?
네 **지우개**가 어디 있니?

☐ 0532

bag

[bæg]

명 가방

my school **bag**
내 학교 **가방**

☐ 0533

map

[mæp]

명 지도

a **map** on the board
게시판에 있는 **지도**

☐ 0534

paper

[péipər]

명 종이

a lot of **paper**
많은 **종이**

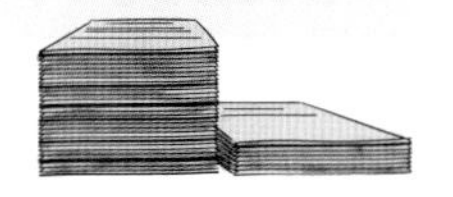

☐ 0535

use up

~을 다 쓰다

use up the ink in the pen
펜의 잉크를 **다 쓰다**

중1 필수 어휘

☐ 0536

ruler

[rú:lər]

명 (길이를 재는) 자

draw a line with a **ruler**
자로 선을 긋다

□ 0537

scissors 명 가위

[sízərz]

use **scissors** to cut the paper
종이를 자르기 위해 **가위**를 사용하다

□ 0538

glue 명 풀, 접착제 동 (풀·접착제로) 붙이다

[gluː]

sticky **glue**
끈적끈적한 **풀**

□ 0539

textbook 명 교과서

[tékstbuk]

open the **textbook**
교과서를 펼치다

□ 0540

notebook 명 공책, 노트

[nóutbuk]

write in the **notebook**
공책에 써넣다

□ 0541

dictionary 명 사전

[díkʃənèri]

an English **dictionary**
영어 **사전**

□ 0542

flag 명 깃발

[flæg]

wave a **flag**
깃발을 흔들다

□ 0543

board 명 칠판, 게시판

[bɔːrd]

Don't draw on the **board.**
칠판에 그림을 그리지 마라.

□ 0544

marker [mά:rkər]

명 마커, 매직펜; 표시물

a whiteboard **marker**
화이트보드 **마커**

□ 0545

chalk [tʃɔ:k]

명 분필

a piece of **chalk**
분필 한 조각

□ 0546

poster [póustər]

명 포스터, 벽보

a new **poster**
새로운 **포스터**

□ 0547

locker [lά:kər]

명 사물함

a **locker** key
사물함 열쇠

□ 0548

basket [bǽskit]

명 바구니

put my shoes in the **basket**
바구니에 내 신발을 넣다

□ 0549

corner [kɔ́:rnər]

명 구석; 모퉁이, 모서리

a seat in the **corner**
구석에 있는 자리

□ 0550

write down

적다, 기록하다

write down words in a notebook
공책에 단어들을 **적다**

Daily Test

[01~05] 단어와 뜻을 알맞은 것끼리 연결하세요.

01 marker	•	• ⓐ 책
02 pencil	•	• ⓑ 마커, 표시물
03 notebook	•	• ⓒ 공책
04 book	•	• ⓓ 종이
05 paper	•	• ⓔ 연필

[06~15] 영어는 우리말로, 우리말은 영어로 쓰세요.

06 desk ____________

07 dictionary ____________

08 glue ____________

09 bag ____________

10 board ____________

11 바구니 ____________

12 포스터 ____________

13 가위 ____________

14 깃발 ____________

15 구석, 모퉁이 ____________

[16~20] 우리말과 같은 뜻이 되도록 빈칸에 알맞은 단어를 쓰세요.

16 지우개를 빨리 다 쓰다 ____________ the eraser quickly

17 분필로 그의 이름을 적다 ____________ his name with chalk

18 그녀가 내 펜을 빌렸다. She borrowed my ____________.

19 나는 내 신발을 사물함에 두었다. I left my shoes in the ____________.

20 네 교과서는 어디 있니? Where is your ____________?

Picture Review

사진과 함께 오늘 배운 단어를 다시 기억해보세요.

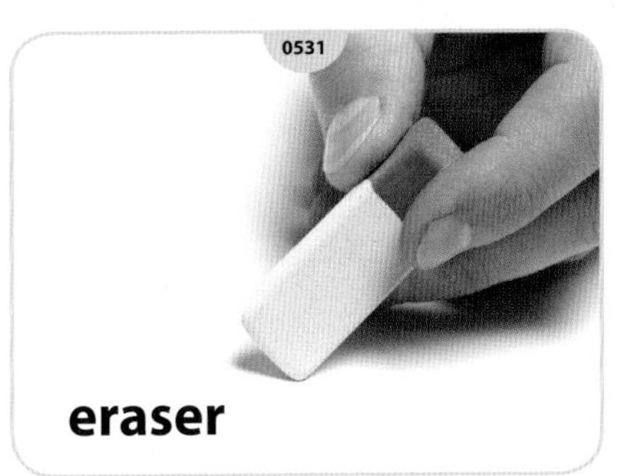

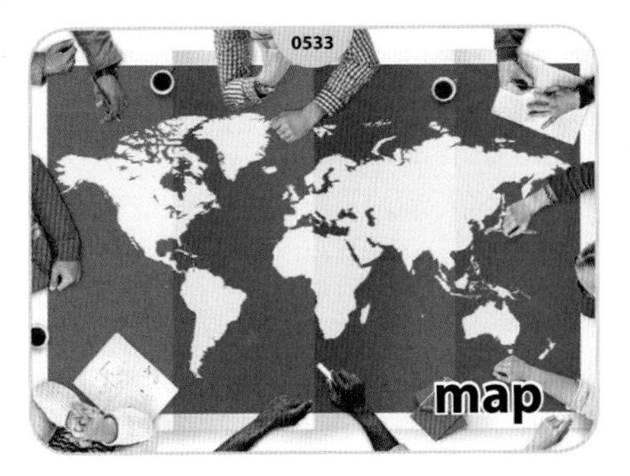

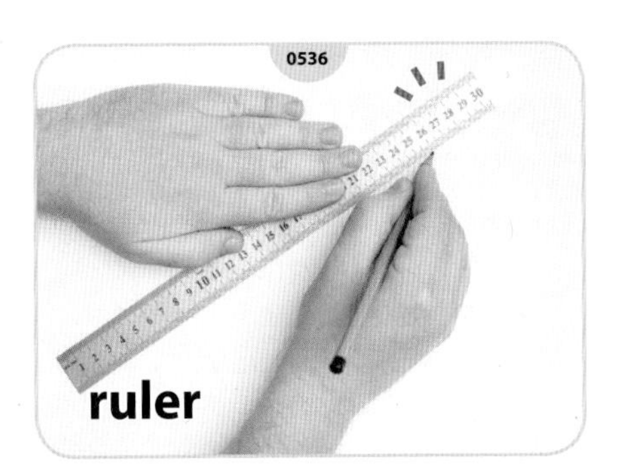

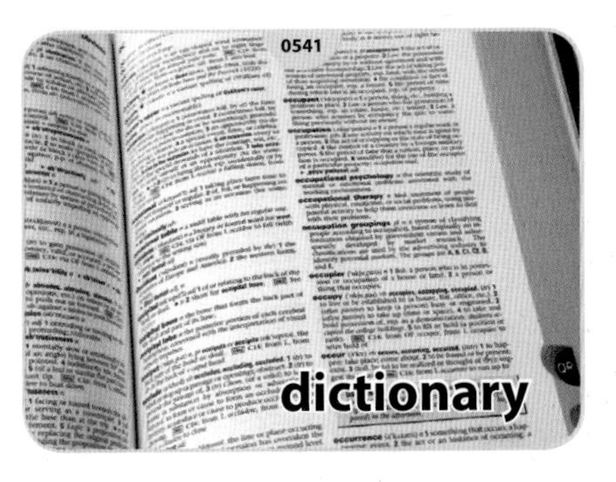

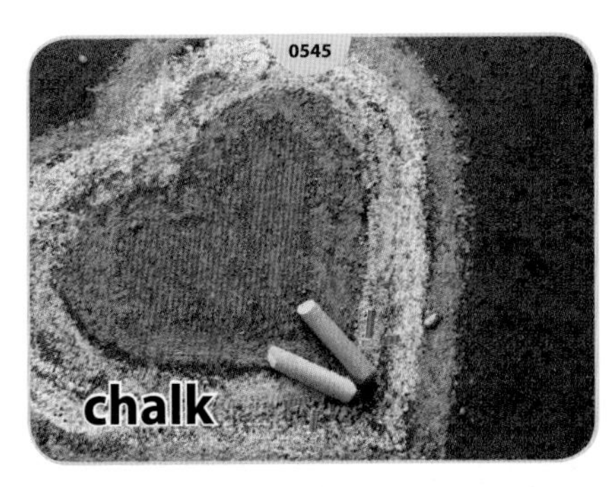

SECTION 4

Leisure & Culture

여가와 문화

DAY 23 여행

여러분이 나중에 꼭 한번 가보고 싶은 travel 장소는 어디인가요?

초등 핵심 어휘

☐ 0551

go [gou]

동 가다 (went-gone)

go to New York City
뉴욕에 **가다**

☐ 0552

come [kʌm]

동 오다 (came-come)

I will **come** here again.
나는 여기에 다시 **올** 거야.

☐ 0553

travel [trǽvəl]

동 여행하다 명 여행

travel alone
혼자 **여행하다**

☐ 0554

trip [trip]

명 여행

go on a **trip**
여행을 가다

☐ 0555

tour [tuər]

명 여행 동 여행하다, 관광하다

a fun **tour**
재미있는 **여행**

☐ 0556

car | 명 자동차

[kɑːr]

drive a **car**
자동차를 운전하다

☐ 0557

train | 명 기차, 열차

[trein]

a fast **train**
빠른 기차

☐ 0558

ship | 명 (큰) 배

[ʃip]

a big **ship**
큰 배

☐ 0559

photo | 명 사진

[fóutou]

take **photos**
사진들을 찍다

☐ 0560

be famous for | ~으로 유명하다

Paris **is famous for** the Eiffel Tower.
파리는 에펠 탑으로 유명하다.

중1 필수 어휘

☐ 0561

plane | 명 비행기

[plein]

by **plane**
비행기를 타고

☐ 0562

camera 명 카메라, 사진기

[kǽmərə]

take pictures with a **camera**
카메라로 사진들을 찍다

☐ 0563

leave 동 떠나다; 남기다 (left-left)

[liːv]

leave home
집을 **떠나다**

☐ 0564

arrive 동 도착하다

[əráiv]

We will **arrive** in Canada tomorrow.
우리는 내일 캐나다에 **도착할** 것이다.

☐ 0565

country 명 나라, 국가

[kʌ́ntri]

a beautiful **country**
아름다운 **나라**

☐ 0566

away 부 떨어져; 다른 곳으로

[əwéi]

away from home
집으로부터 **떨어져**

☐ 0567

ticket 명 표, 입장권, 승차권

[tíkit]

buy a **ticket**
표를 사다

☐ 0568

guide 명 가이드; 안내서 동 안내하다

[gaid]

a local **guide**
현지 **가이드**

□ 0569

enter 동 들어가다

[éntər]

enter the tunnel
터널에 **들어가다**

□ 0570

return 동 돌아오다; 돌려주다

[ritə́ːrn]

return to Korea
한국으로 **돌아오다**

□ 0571

view 명 경치, 전망 동 보다

[vjuː]

I enjoyed the **view**.
나는 **경치**를 즐겼다.

□ 0572

scenery 명 풍경, 경치

[síːnəri]

fantastic **scenery**
환상적인 **풍경**

□ 0573

memory 명 추억, 기억

[méməri]

a happy **memory**
행복한 **추억**

□ 0574

dangerous 형 위험한 반 safe 안전한

[déindʒərəs]

dangerous areas
위험한 지역들

□ 0575

take off (비행기가) 이륙하다; (옷을) 벗다

The plane is ready to **take off**.
비행기가 **이륙할** 준비가 되었다.

Daily Test

[01~05] 단어와 뜻을 알맞은 것끼리 연결하세요.

01 tour	•	• ⓐ 자동차
02 go	•	• ⓑ 여행, 여행하다
03 car	•	• ⓒ 가다
04 train	•	• ⓓ 기차
05 away	•	• ⓔ 떨어져, 다른 곳으로

[06~15] 영어는 우리말로, 우리말은 영어로 쓰세요.

06 trip	________	**11** 카메라	________
07 view	________	**12** 오다	________
08 leave	________	**13** 도착하다	________
09 enter	________	**14** 표	________
10 memory	________	**15** 돌아오다, 돌려주다	________

[16~20] 우리말과 같은 뜻이 되도록 빈칸에 알맞은 단어를 쓰세요.

16 현지 가이드를 따라가다 follow the local ________

17 위험한 활동 a(n) ________ activity

18 이탈리아는 피자로 유명하다. Italy ________ pizza.

19 너는 어떤 나라에 가고 싶니? Which ________ do you want to visit?

20 비행기가 곧 이륙할 것이다. The plane will ________ soon.

Picture Review

사진과 함께 오늘 배운 단어를 다시 기억해보세요.

DAY 23

해커스 보카 중학 기초

DAY 24 쇼핑

쇼핑할 때는 과소비를 하지 않도록 필요한 물건의 list를 작성해보세요.

초등 핵심 어휘

☐ 0576

shop 명 가게, 상점 동 사다

[ʃɑːp]

a gift **shop**
선물 **가게**

☐ 0577

money 명 돈

[mʌ́ni]

spend **money**
돈을 쓰다

☐ 0578

buy 동 사다, 구입하다 (bought-bought)

[bai]

buy new clothes
새로운 옷을 **사다**

☐ 0579

sell 동 팔다, 판매하다 (sold-sold)

[sel]

sell robots at a store
가게에서 로봇들을 **팔다**

☐ 0580

get 동 받다; 얻다, 구하다 (got-gotten)

[get]

get a 50% off coupon
50퍼센트 할인 쿠폰을 **받다**

□ 0581

list 명 리스트, 목록

[list]

a shopping **list**
쇼핑 **리스트**

□ 0582

sale 명 할인 판매, 세일; 판매

[seil]

a summer **sale**
여름 **할인 판매**

□ 0583

take 동 가져가다; 데려가다 (took-taken)

[teik]

take my wallet
내 지갑을 **가져가다**

□ 0584

pay 동 계산하다, (돈을) 내다

[pei]

pay by credit card
신용카드로 **계산하다**

□ 0585

for free 무료로, 공짜로

get a drink **for free**
무료로 음료를 받다

중1 필수 어휘

□ 0586

price 명 가격, 값

[prais]

at a low **price**
낮은 **가격**에

□ 0587

discount 명 할인 동 할인하다

[dískaunt]

a 20% **discount**
20퍼센트 **할인**

□ 0588

customer 명 손님, 고객

[kʌ́stəmər]

the first **customer**
첫 번째 **손님**

□ 0589

manager 명 매니저, 관리자

[mǽnidʒər]

a shop **manager**
가게 **매니저**

□ 0590

favorite 형 아주 좋아하는, 마음에 드는 명 특히 좋아하는 것

[féivərit]

his **favorite** color
그가 **아주 좋아하는** 색깔

□ 0591

popular 형 인기 있는

[pɑ́:pjulər]

a **popular** fashion item
인기 있는 패션 아이템

□ 0592

spend 동 (돈·시간 등을) 쓰다, 소비하다 (spent-spent)

[spend]

spend too much money
너무 많은 돈을 **쓰다**

□ 0593

waste 동 낭비하다 명 낭비

[weist]

Don't **waste** your money.
너의 돈을 **낭비하지** 마.

☐ 0594

choose 동 고르다, 선택하다 (chose-chosen)

[tʃuːz]

choose the best item
가장 좋은 물건을 **고르다**

☐ 0595

fit 동 (꼭) 맞다, 알맞다; 어울리다 (fit-fit)

[fit]

The shoes don't **fit** well.
그 신발이 잘 **맞지** 않는다.

☐ 0596

cheap 형 싼, 저렴한

[tʃiːp]

a **cheap** camera
싼 카메라

☐ 0597

expensive 형 비싼, 돈이 많이 드는

[ikspénsiv]

I bought an **expensive** necklace.
나는 **비싼** 목걸이를 샀다.

☐ 0598

carry 동 가지고 다니다; 나르다, 운반하다

[kǽri]

carry a shopping bag
장바구니를 **가지고 다니다**

☐ 0599

count 동 세다, 계산하다 명 셈, 계산

[kaunt]

count the number of products
제품들의 수를 **세다**

☐ 0600

on sale 할인 중인; 판매 중인

Bags are **on sale**.
가방들이 **할인 중**이다.

Daily Test

[01~05] 단어와 뜻을 알맞은 것끼리 연결하세요.

01 choose	ⓐ (꼭) 맞다, 어울리다
02 fit	ⓑ 고르다
03 shop	ⓒ 싼, 저렴한
04 favorite	ⓓ 가게, 사다
05 cheap	ⓔ 아주 좋아하는, 특히 좋아하는 것

[06~15] 영어는 우리말로, 우리말은 영어로 쓰세요.

06 spend	________	**11** 가격	________
07 discount	________	**12** 받다, 얻다	________
08 sell	________	**13** 비싼	________
09 take	________	**14** 인기 있는	________
10 waste	________	**15** 세다, 셈	________

[16~20] 우리말과 같은 뜻이 되도록 빈칸에 알맞은 단어를 쓰세요.

16 물건을 공짜로 받다 get an item ________

17 새 컴퓨터를 구입하다 ________ a new computer

18 Irene은 그 가게의 관리자이다. Irene is the ________ of the store.

19 이 신발들은 할인 중인가요? Are these shoes ________?

20 그녀는 이 무거운 쇼핑백을 나를 수 있다.
She can ________ this heavy shopping bag.

Picture Review

사진과 함께 오늘 배운 단어를 다시 기억해보세요.

취미

여러분의 hobby는 무엇인가요? 최근에 새로 생긴 hobby가 있나요?

초등 핵심 어휘

☐ 0601

hobby 명 취미

[há:bi]

a new **hobby**
새로운 **취미**

☐ 0602

dance 동 춤추다 명 춤

[dæns]

dance with friends
친구들과 **춤추다**

☐ 0603

swim 동 수영하다, 헤엄치다 (swam-swum)

[swim]

swim in the sea
바다에서 **수영하다**

☐ 0604

movie 명 영화 유 film

[mú:vi]

see horror **movies**
공포 **영화**를 보다

☐ 0605

drama 명 드라마, 극

[drá:mə]

I like to watch TV **dramas.**
나는 TV **드라마**를 보는 것을 좋아한다.

☐ 0606

game 명 게임, 경기

[geim]

a board **game**
보드 게임

☐ 0607

collect 동 모으다, 수집하다

[kəlékt]

collect beautiful cups
멋진 컵들을 **모으다**

☐ 0608

start 동 시작하다 반 stop 멈추다

[stɑːrt]

start to dance
춤추기 **시작하다**

☐ 0609

join 동 가입하다, 함께 하다

[dʒɔin]

join a sports club
스포츠 동아리에 **가입하다**

☐ 0610

be interested in ~에 관심이 있다, 흥미가 있다

She **is interested in** K-pop.
그녀는 케이팝**에 관심이 있다**.

중1 필수 어휘

☐ 0611

skate 동 스케이트를 타다 명 (-s) 스케이트화

[skeit]

skate on the ice
얼음 위에서 **스케이트를 타다**

□ 0612

bike 명 자전거

[baik]

I bought a **bike** yesterday.
나는 어제 **자전거**를 샀다.

□ 0613

ride 동 (탈것을) 타다, 타고 가다 (rode-ridden)

[raid]

ride a bike
자전거를 **타다**

□ 0614

dive 동 (물속으로) 뛰어들다; 잠수하다 (dove-dived)

[daiv]

dive into the water
물속으로 **뛰어들다**

□ 0615

fishing 명 낚시

[fíʃiŋ]

a **fishing** trip
낚시 여행

□ 0616

hiking 명 도보 여행, 하이킹

[háikiŋ]

go **hiking**
도보 여행을 가다

□ 0617

camping 명 캠핑, 야영

[kǽmpiŋ]

go **camping**
캠핑을 가다

□ 0618

outdoor 형 야외의, 집 밖의

[áutdɔ̀ːr]

an **outdoor** activity
야외 활동

□ 0619

nap | 명 낮잠

[næp]

take a short **nap**
짧은 **낮잠**을 자다

□ 0620

interest | 명 관심, 흥미

[íntərəst]

have an **interest** in music
음악에 **관심**이 있다

□ 0621

stamp | 명 우표; 도장

[stæmp]

collect **stamps**
우표를 수집하다

□ 0622

exciting | 형 신나는, 흥미진진한

[iksáitiŋ]

an **exciting** game
신나는 게임

□ 0623

cartoon | 명 만화, 만화 영화

[kɑːrtúːn]

draw **cartoon** characters
만화 캐릭터를 그리다

□ 0624

animation | 명 애니메이션, 만화 영화

[ænəméiʃən]

The **animation** was popular.
그 **애니메이션**은 인기 있었다.

□ 0625

give up | 포기하다

give up fishing
낚시를 **포기하다**

Daily Test

[01~05] 단어와 뜻을 알맞은 것끼리 연결하세요.

01 dance	•	• ⓐ 춤추다, 춤
02 interest	•	• ⓑ 수영하다
03 stamp	•	• ⓒ 관심
04 start	•	• ⓓ 시작하다
05 swim	•	• ⓔ 우표, 도장

[06~15] 영어는 우리말로, 우리말은 영어로 쓰세요.

06 exciting ____________

07 nap ____________

08 cartoon ____________

09 join ____________

10 collect ____________

11 애니메이션 ____________

12 도보 여행 ____________

13 드라마 ____________

14 (탈것을) 타다 ____________

15 게임 ____________

[16~20] 우리말과 같은 뜻이 되도록 빈칸에 알맞은 단어를 쓰세요.

16 야외 행사들에 참여하다 attend ____________ events

17 자전거를 빌리다 borrow a(n) ____________

18 내 취미는 책을 읽는 것이다. My ____________ is reading books.

19 Emily는 스포츠에 관심이 있다. Emily ____________ sports.

20 수영하는 것을 포기하지 마. Don't ____________ swimming.

Picture Review

사진과 함께 오늘 배운 단어를 다시 기억해보세요.

DAY 26

운동

규칙적으로 work out 하는 것은 여러분을 건강하게 만들어 줄 거예요.

초등 핵심 어휘

□ 0626

ball — 명 공, 공 모양의 것

[bɔːl]

He missed the **ball**.
그는 **공**을 놓쳤다.

□ 0627

sport — 명 스포츠, 운동

[spɔːrt]

a popular **sport**
인기 있는 **스포츠**

□ 0628

walk — 동 걷다; 산책하다, 산책시키다

[wɔːk]

walk in the park
공원에서 **걷다**

□ 0629

run — 동 달리다 (ran-run)

[rʌn]

She can **run** fast.
그녀는 빠르게 **달릴** 수 있다.

□ 0630

race — 명 경주 동 경주하다

[reis]

He is in a **race**.
그는 **경주**를 하고 있다.

☐ 0631

jump | 동 뛰다, 뛰어오르다

[dʒʌmp]

jump high
높이 **뛰다**

☐ 0632

kick | 동 (발로) 차다

[kik]

kick the ball
공을 **차다**

☐ 0633

team | 명 팀, 조

[tiːm]

a soccer **team**
축구 **팀**

☐ 0634

hero | 명 영웅

[híərou]

the **hero** of the last game
지난 경기의 **영웅**

☐ 0635

be proud of | ~을 자랑스러워하다

He **is proud of** his gold medal.
그는 자신의 금메달을 **자랑스러워한다**.

중1 필수 어휘

☐ 0636

pass | 동 통과하다, 지나가다; 건네주다

[pæs]

pass the finish line
결승선을 **통과하다**

□ 0637

throw 동 던지다 (threw-thrown)

[θrou]

throw the darts
다트를 **던지다**

□ 0638

catch 동 잡다 (caught-caught)

[kætʃ]

Catch and throw the ball.
공을 **잡아서** 던져라.

□ 0639

jog 동 조깅하다

[dʒɑ:g]

jog every morning
매일 아침 **조깅하다**

□ 0640

climb 동 등반하다, 오르다

[klaim]

climb Mount Everest
에베레스트 산을 **등반하다**

□ 0641

match 명 경기 유 game

[mætʃ]

a World Cup **match**
월드컵 **경기**

□ 0642

win 동 이기다; 얻다 (won-won)

[win]

win the game
경기에서 **이기다**

□ 0643

lose 동 지다; 잃다 (lost-lost)

[lu:z]

lose the race
경주에서 **지다**

☐ 0644

defend

동 방어하다, 막다

[difénd]

try to **defend**
방어하려고 하다

☐ 0645

leap

동 뛰다, 뛰어오르다 명 도약

[liːp]

too high to **leap** over
뛰어 넘기에 너무 높은

☐ 0646

score

동 득점하다 명 득점

[skɔːr]

try to **score**
득점하기 위해 노력하다

☐ 0647

player

명 선수, 참가자

[pléiər]

a famous tennis **player**
유명한 테니스 **선수**

☐ 0648

training

명 훈련, 교육

[tréiniŋ]

the **training** course
훈련 과정

☐ 0649

champion

명 챔피언, 우승자

[tʃǽmpiən]

the world **champion**
세계 **챔피언**

☐ 0650

work out

운동하다; 해결하다

work out hard
열심히 **운동하다**

Daily Test

[01~05] 단어와 뜻을 알맞은 것끼리 연결하세요.

01 player	•	• ⓐ 영웅
02 climb	•	• ⓑ 등반하다
03 hero	•	• ⓒ 경기
04 win	•	• ⓓ 이기다, 얻다
05 match	•	• ⓔ 선수

[06~15] 영어는 우리말로, 우리말은 영어로 쓰세요.

06 leap ____________

07 defend ____________

08 race ____________

09 score ____________

10 lose ____________

11 통과하다, 건네주다 ____________

12 조깅하다 ____________

13 스포츠 ____________

14 (발로) 차다 ____________

15 팀 ____________

[16~20] 우리말과 같은 뜻이 되도록 빈칸에 알맞은 단어를 쓰세요.

16 빠르게 걷다 ____________ fast

17 충분한 훈련이 필요하다 need enough ____________

18 그녀는 자신의 훌륭한 코치를 자랑스러워한다.
She ____________ her great coach.

19 나는 체육관에서 운동한다. I ____________ at the gym.

20 그는 새로운 챔피언이 되었다.
He became the new ____________.

Picture Review

사진과 함께 오늘 배운 단어를 다시 기억해보세요.

DAY 27

음악과 미술

눈이 조금 뻐근할 때는 눈을 편안하게 하는 green색을 보면서 쉬어가도 좋아요. :)

초등 핵심 어휘

☐ 0651

art [ɑːrt]
명 예술, 미술

a work of **art**
예술 작품

☐ 0652

paint [peint]
명 물감, 페인트 동 색칠하다

cover with white **paint**
흰색 **물감**으로 덮다

☐ 0653

draw [drɔː]
동 그리다 (drew-drawn)

draw an apple
사과를 **그리다**

☐ 0654

red [red]
형 빨간 명 빨간색

a **red** crayon
빨간 크레용

☐ 0655

green [griːn]
형 초록의 명 초록색

paint **green** leaves
초록 잎들을 색칠하다

☐ 0656

picture 명 그림; 사진

[píktʃər]

She is drawing a **picture**.
그녀는 **그림**을 그리고 있다.

☐ 0657

sing 동 노래하다 (sang-sung)

[siŋ]

Let's **sing** together.
함께 **노래하자**.

☐ 0658

music 명 음악

[mjú:zik]

listen to **music**
음악을 듣다

☐ 0659

song 명 노래

[sɔ:ŋ]

his favorite **song**
그가 아주 좋아하는 **노래**

☐ 0660

be good at ~을 잘하다

I am good at playing the flute.
나는 플루트를 연주하는 것**을 잘한다**.

중1 필수 어휘

☐ 0661

pattern 명 무늬, 패턴

[pǽtərn]

a **pattern** of squares
정사각형의 **무늬**

□ 0662

sketch 명 스케치, 밑그림 동 스케치하다

[sketʃ]

a rough **sketch**
대략적인 **스케치**

□ 0663

color 명 색깔 동 색칠하다

[kʌ́lər]

a dark **color**
어두운 **색깔**

□ 0664

brush 명 붓 동 빗질을 하다

[brʌʃ]

wash the **brushes**
붓들을 씻다

□ 0665

note 명 음, 음표; 메모

[nout]

follow the **note**
음을 따라가다

□ 0666

stage 명 무대

[steidʒ]

stand on the **stage**
무대 위에 서다

□ 0667

gallery 명 미술관

[gǽləri]

visit the **gallery**
미술관을 방문하다

□ 0668

add 동 더하다, 추가하다

[æd]

add other colors
다른 색깔들을 **더하다**

□ 0669

piano

명 피아노

[piǽnou]

I can play the **piano.**

나는 **피아노**를 연주할 수 있다.

□ 0670

guitar

명 기타

[gitɑ́ːr]

A **guitar** has six strings.

기타는 여섯 개의 줄을 가지고 있다.

□ 0671

master

명 거장, 대가

[mǽstər]

a **master** of music

음악의 **거장**

□ 0672

concert

명 콘서트, 연주회

[kɑ́ːnsərt]

a **concert** ticket

콘서트 표

□ 0673

talent

명 재능, 장기

[tǽlənt]

have **talent** in art

예술에 **재능**이 있다

□ 0674

wonderful

형 멋진, 훌륭한 ㊐ fantastic

[wʌ́ndərfəl]

wonderful work

멋진 작품

□ 0675

make it

성공하다, 해내다

I will **make it** as a pianist.

나는 피아니스트로서 **성공할** 것이다.

Daily Test

[01~05] 단어와 뜻을 알맞은 것끼리 연결하세요.

01 red • • ⓐ 색깔, 색칠하다

02 add • • ⓑ 음악

03 color • • ⓒ 빨간, 빨간색

04 green • • ⓓ 더하다, 추가하다

05 music • • ⓔ 초록의, 초록색

[06~15] 영어는 우리말로, 우리말은 영어로 쓰세요.

06 talent ______________

07 master ______________

08 note ______________

09 song ______________

10 brush ______________

11 스케치, 스케치하다 ______________

12 피아노 ______________

13 무늬 ______________

14 물감, 색칠하다 ______________

15 멋진 ______________

[16~20] 우리말과 같은 뜻이 되도록 빈칸에 알맞은 단어를 쓰세요.

16 아시아 예술 Asian ______________

17 무대를 보다 watch the ______________

18 그는 춤추는 것을 잘한다. He ______________ dancing.

19 그녀는 예술가로서 성공할 수 있다. She can ______________ as an artist.

20 나는 어제 콘서트에 갔다. I went to the ______________ yesterday.

Picture Review

사진과 함께 오늘 배운 단어를 다시 기억해보세요.

DAY 28 문화와 예술

몸의 건강만큼 중요한 마음의 건강을 위해 이번 주말에는 culture 생활을 해보면 어떨까요?

초등 핵심 어휘

□ 0676

culture 명 문화

[kʌ́ltʃər]

a center of eastern **culture**
동양 **문화**의 중심

□ 0677

history 명 역사

[hístəri]

Korean **history**
한국의 **역사**

□ 0678

story 명 이야기, 소설

[stɔ́:ri]

hear the interesting **story**
흥미로운 **이야기**를 듣다

□ 0679

famous 형 유명한

[féiməs]

The opera is **famous.**
그 오페라는 **유명하다.**

□ 0680

artist 명 예술가, 화가

[ɑ́:rtist]

a great **artist**
위대한 **예술가**

0681

film [film]

명 영화 유 movie 동 촬영하다

make a **film**
영화를 제작하다

0682

point [pɔint]

명 핵심, 요점 동 가리키다

miss the **point** of the story
이야기의 **핵심**을 놓치다

0683

lucky [lʌ́ki]

형 운이 좋은, 행운의

a story about a **lucky** man
운이 좋은 사람에 대한 이야기

0684

hunt [hʌnt]

동 사냥하다 명 사냥

Some people **hunt** animals.
어떤 사람들은 동물들을 **사냥한다**.

0685

once upon a time

옛날 옛적에

Once upon a time, giants lived on the island.
옛날 옛적에, 거인들이 섬에 살았다.

중 1 필수 어휘

0686

folk [fouk]

형 민속의

folk games
민속 놀이들

□ 0687

role 명 역할, 배역

[roul]

play an important **role**
중요한 **역할**을 하다

□ 0688

peaceful 형 평화로운, 평온한

[pí:sfəl]

a **peaceful** song
평화로운 노래

□ 0689

adventure 명 모험, 모험심

[ædvéntʃər]

stories of **adventure**
모험 이야기들

□ 0690

action 명 행동, 활동

[ǽkʃən]

actors' **actions**
배우들의 **행동들**

□ 0691

scare 동 겁주다

[skeər]

scare the crowd
군중을 **겁주다**

□ 0692

musical 형 음악적인, 음악의 명 뮤지컬

[mjú:zikəl]

have **musical** talent
음악적인 재능을 가지다

□ 0693

script 명 대본, 원고

[skript]

a **script** writer
대본 작가

☐ 0694

happen 동 일어나다, 발생하다

[hǽpən]

What will **happen** next?
다음에 무슨 일이 **일어날까**?

☐ 0695

interesting 형 흥미로운, 재미있는 반 boring 지루한

[íntərəstiŋ]

interesting news
흥미로운 소식

☐ 0696

fantasy 명 판타지, 상상

[fǽntəsi]

watch **fantasy** movies
판타지 영화를 보다

☐ 0697

mysterious 형 신비로운; 기이한

[mistíəriəs]

a **mysterious** event
신비로운 사건

☐ 0698

background 명 배경

[bǽkgraund]

background music
배경 음악

☐ 0699

scene 명 장면, 현장; (연극·오페라의) 장

[siːn]

a famous **scene**
유명한 **장면**

☐ 0700

go on (상황·일이) 계속되다

The film has been **going on** for hours.
영화가 몇 시간 동안 **계속되고** 있다.

Daily Test

[01~05] 단어와 뜻을 알맞은 것끼리 연결하세요.

01 action •	• ⓐ 배경
02 artist •	• ⓑ 행동
03 scare •	• ⓒ 역사
04 history •	• ⓓ 예술가
05 background •	• ⓔ 겁주다

[06~15] 영어는 우리말로, 우리말은 영어로 쓰세요.

06 lucky ____________

07 mysterious ____________

08 script ____________

09 culture ____________

10 peaceful ____________

11 모험 ____________

12 음악적인, 뮤지컬 ____________

13 사냥하다, 사냥 ____________

14 흥미로운 ____________

15 민속의 ____________

[16~20] 우리말과 같은 뜻이 되도록 빈칸에 알맞은 단어를 쓰세요.

16 마지막 장면 the last ____________

17 유명한 배우 a(n) ____________ actor

18 그 영화 시리즈는 몇 년간 계속될 것이다.
The movie series will ____________ for years.

19 다음 화에서는 무슨 일이 일어날까?
What will ____________ in the next episode?

20 옛날 옛적에, 현명한 왕이 있었다.
____________, there was a wise king.

Picture Review

사진과 함께 오늘 배운 단어를 다시 기억해보세요.

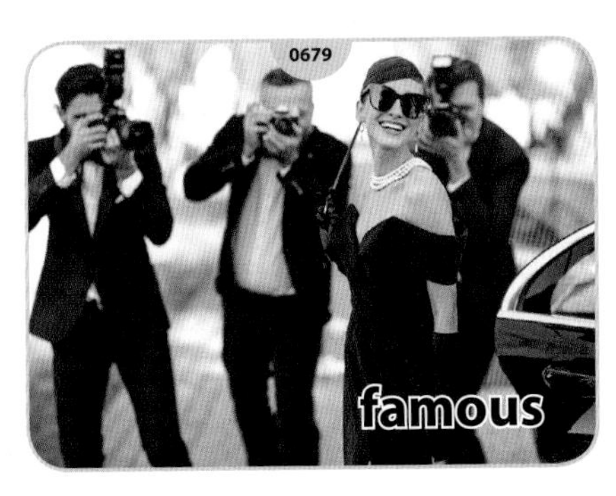

DAY 29 행사

매년 10월 여의도에서는 밤하늘을 수놓는 fireworks 축제가 열려요.

초등 핵심 어휘

□ 0701

cake [keik]

명 케이크

order a **cake**
케이크를 주문하다

□ 0702

gift [gift]

명 선물

a **gift** box
선물 상자

□ 0703

band [bænd]

명 (음악) 밴드; 끈

invite the **band** to the event
행사에 **밴드**를 초청하다

□ 0704

birthday [bə́:rθdèi]

명 생일

on my **birthday**
내 **생일**에

□ 0705

wedding [wédiŋ]

명 결혼식, 혼례

go to the **wedding**
결혼식에 가다

□ 0706

picnic 명 소풍, 피크닉

[píknik]

go for a **picnic**
소풍을 가다

□ 0707

contest 명 대회, 경쟁

[kɑ́:ntest]

a writing **contest**
글쓰기 **대회**

□ 0708

holiday 명 휴가, 방학; 휴일

[hɑ́:lədèi]

spend the **holiday** camping
캠핑하면서 **휴가**를 보내다

□ 0709

boat 명 보트, 배

[bout]

by **boat**
보트를 타고

□ 0710

of course 당연히, 물론

Of course you have to attend the party.
당연히 너는 파티에 참석해야 한다.

중1 필수 어휘

□ 0711

candle 명 양초, 초

[kǽndl]

light a **candle**
양초에 불을 붙이다

□ 0712

present | 명 선물 동 [prizént] 주다

[préznt]

give a **present** to Emma
Emma에게 **선물**을 주다

□ 0713

event | 명 행사, 사건

[ivént]

a special **event**
특별한 **행사**

□ 0714

festival | 명 축제

[féstivəl]

at a school **festival**
학교 **축제**에서

□ 0715

eve | 명 이브, (축제의) 전날 밤

[iːv]

on Christmas **Eve**
크리스마스 **이브**에

□ 0716

bench | 명 벤치, 긴 의자

[bentʃ]

move the **benches** for the festival
축제를 위해 **벤치들**을 옮기다

□ 0717

fair | 명 박람회 형 공정한

[feər]

go to the **fair**
박람회에 가다

□ 0718

party | 명 파티, 모임

[pɑ́ːrti]

attend the **party**
파티에 참석하다

□ 0719

firework

명 (-s) 불꽃놀이

[fáiərwə:rk]

watch **fireworks**
불꽃놀이를 보다

□ 0720

crowd

명 무리, 군중 동 붐비다

[kraud]

a **crowd** of people
사람들의 **무리**

□ 0721

record

동 기록하다 명 [rékərd] 기록

[rikɔ́:rd]

record a video
영상으로 **기록하다**

□ 0722

special

형 특별한

[spéʃəl]

prepare a **special** dish
특별한 요리를 준비하다

□ 0723

invite

동 초대하다

[inváit]

invite Jamie to my house
Jamie를 내 집으로 **초대하다**

□ 0724

congratulate

동 축하하다

[kəngrǽtʃuleit]

congratulate the winner
우승자를 **축하하다**

□ 0725

take place

(행사가) 열리다, (사건이) 일어나다

Parties **take place** at Sam's house.
파티가 Sam의 집에서 **열린다**.

Daily Test

[01~05] 단어와 뜻을 알맞은 것끼리 연결하세요.

01 present	•	• ⓐ 양초
02 festival	•	• ⓑ 축제
03 crowd	•	• ⓒ 선물, 주다
04 firework	•	• ⓓ 무리, 붐비다
05 candle	•	• ⓔ 불꽃놀이

[06~15] 영어는 우리말로, 우리말은 영어로 쓰세요.

06 congratulate ______________

07 event ______________

08 contest ______________

09 fair ______________

10 special ______________

11 보트 ______________

12 벤치 ______________

13 (음악) 밴드, 끈 ______________

14 이브, (축제의) 전날 밤 ______________

15 케이크 ______________

[16~20] 우리말과 같은 뜻이 되도록 빈칸에 알맞은 단어를 쓰세요.

16 휴가를 즐기다 enjoy the ______________

17 사람들을 파티에 초대하다 ______________ people to the party

18 오늘은 그의 생일이다. Today is his ______________.

19 당연히 나는 네가 장식하는 것을 도와줄 수 있다.

______________ I can help you decorate.

20 그녀의 결혼식은 3월에 열릴 것이다.

Her wedding will ______________ in March.

Picture Review

사진과 함께 오늘 배운 단어를 다시! 기억해보세요.

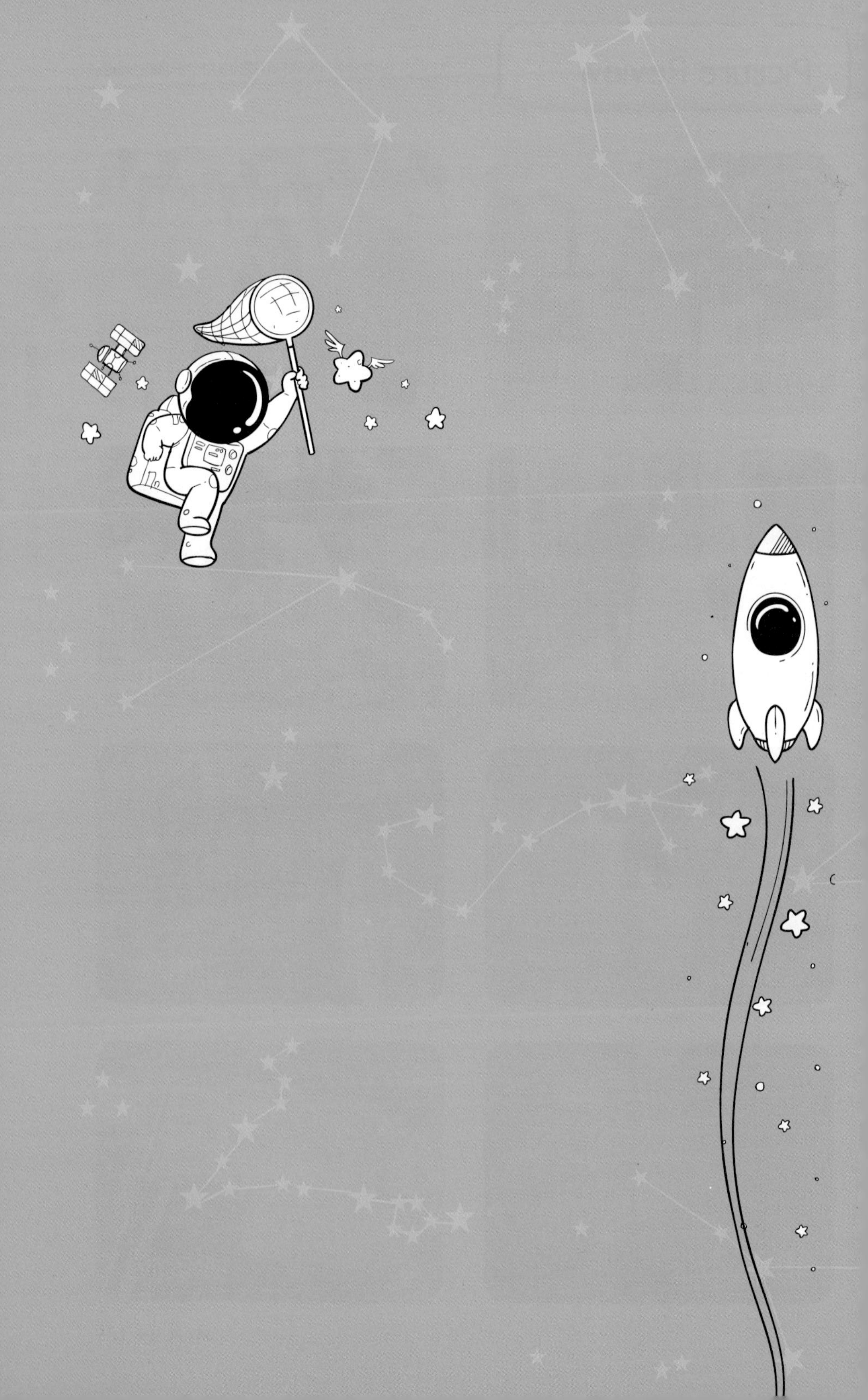

SECTION 5

Things & Conditions

사물과 상태

DAY 30 시간

'Carpe Diem(카르페디엠)'은 "매 moment를 즐겨라"라는 뜻이에요.

초등 핵심 어휘

□ 0726

day — 명 일, 하루; 낮

[dei]

exercise every **day**
매일 운동하다

□ 0727

night — 명 밤

[nait]

last **night**
지난밤

□ 0728

time — 명 시간, 때

[taim]

have free **time**
자유 시간을 가지다

□ 0729

later — 부 나중에, 후에

[léitər]

See you **later**.
나중에 보자.

□ 0730

now — 부 지금, 이제

[nau]

right **now**
바로 지금

☐ 0731

week

명 일주일, 주

[wi:k]

stay home for a **week**
일주일 동안 집에 있다

☐ 0732

month

명 달, 개월

[mʌnθ]

for a few **months**
몇 **달** 동안

☐ 0733

year

명 년, 해

[jiər]

a **year** ago
일 **년** 전에

☐ 0734

soon

부 곧, 머지않아; 빨리

[su:n]

Mom will be back **soon.**
엄마가 **곧** 돌아올 것이다.

☐ 0735

one day

언젠가, 어느 날

One day, I will travel to Europe.
언젠가, 나는 유럽을 여행할 것이다.

중1 필수 어휘

☐ 0736

morning

명 아침, 오전

[mɔ́:rniŋ]

in the **morning**
아침에

□ 0737

noon 명 정오, 낮 12시

[nu:n]

around **noon**
정오 즈음에

□ 0738

afternoon 명 오후

[æ̀ftərnúːn]

take a nap in the **afternoon**
오후에 낮잠을 자다

□ 0739

evening 명 저녁

[íːvniŋ]

this **evening**
오늘 **저녁**

□ 0740

today 부 명 오늘; 요즘

[tədéi]

Today, I met my friend.
오늘, 나는 내 친구를 만났다.

□ 0741

tomorrow 부 명 내일

[təmɔ́ːrou]

We will walk to school **tomorrow**.
우리는 **내일** 학교에 걸어갈 것이다.

□ 0742

yesterday 부 명 어제

[jéstərdèi]

It rained **yesterday**.
어제 비가 왔다.

□ 0743

moment 명 잠깐, 순간; 때

[móumənt]

wait for a **moment**
잠깐 동안 기다리다

□ 0744

then [ðen]

부 그때; 그리고 나서

I will see you **then**.
그때 보자.

□ 0745

hour [auər]

명 (한) 시간

about three **hours** ago
약 세 **시간** 전에

□ 0746

minute [mínit]

명 (일) 분

a few **minutes** later
몇 **분** 후에

□ 0747

past [pæst]

명 과거 형 과거의

in the **past**
과거에는

□ 0748

future [fjú:tʃər]

명 미래 형 미래의

imagine the **future**
미래를 상상하다

□ 0749

early [ə́:rli]

부 일찍 형 이른

come **early**
일찍 오다

□ 0750

before long

머지않아, 오래지 않아

Before long, I will be an adult.
머지않아, 나는 어른이 될 것이다.

Daily Test

[01~05] 단어와 뜻을 알맞은 것끼리 연결하세요.

01 today	•	• ⓐ 밤
02 month	•	• ⓑ 달, 개월
03 night	•	• ⓒ 그때, 그리고 나서
04 hour	•	• ⓓ (한) 시간
05 then	•	• ⓔ 오늘, 요즘

[06~15] 영어는 우리말로, 우리말은 영어로 쓰세요.

06 year ________________

07 soon ________________

08 early ________________

09 moment ________________

10 evening ________________

11 오후 ________________

12 나중에 ________________

13 미래, 미래의 ________________

14 내일 ________________

15 어제 ________________

[16~20] 우리말과 같은 뜻이 되도록 빈칸에 알맞은 단어를 쓰세요.

16 30분 동안 달리다 run for 30 ________________

17 오늘 아침 7시에 일어나다 wake up at 7 this ________________

18 우리는 지금 가야 한다. We should go ________________.

19 어느 날, 이상한 일이 일어났다. ________________, a strange thing happened.

20 계절이 머지않아 바뀔 것이다.
The season will change ________________.

Picture Review

사진과 함께 오늘 배운 단어를 다시 기억해보세요.

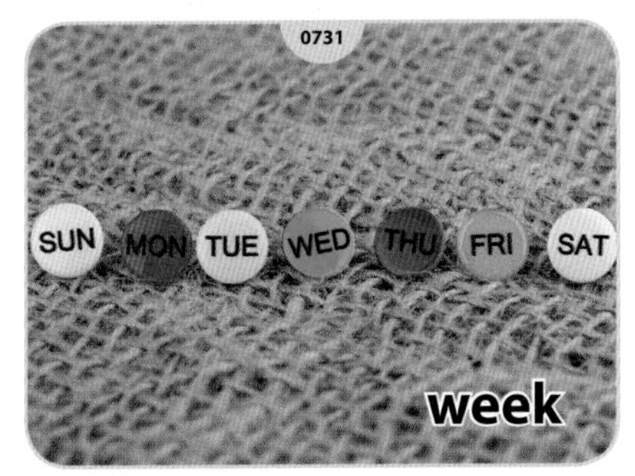

DAY 31 순서와 빈도

Always 밝은 웃음을 잃지 말아요!

초등 핵심 어휘

□ 0751

before | 전 ~ 전에, ~ 앞에 부 전에

[bifɔ́ːr]

before noon
정오 **전에**

□ 0752

after | 전 ~ 후에, ~ 뒤에 부 나중에

[ǽftər]

meet **after** class
수업 **후에** 만나다

□ 0753

last | 형 마지막의, 끝의 동 계속되다

[læst]

for the **last** 5 minutes
마지막 5분 동안

□ 0754

end | 명 끝 동 끝나다, 끝내다 반 start 시작하다

[end]

the **end** of this year
이번 해의 **끝**

□ 0755

again | 부 다시, 한 번 더

[əgén]

check **again**
다시 확인하다

□ 0756

never

[névər]

부 결코 ~ 않다

never go outside
결코 밖에 나가지 **않다**

□ 0757

turn

[təːrn]

명 차례, 순서 동 돌다, 돌리다

my **turn**
내 **차례**

□ 0758

almost

[ɔ́ːlmoust]

부 거의

They play games **almost** every night.
그들은 **거의** 매일 밤 게임을 한다.

□ 0759

too

[tuː]

부 너무; 또한, 게다가

too often
너무 자주

□ 0760

one by one

차례로, 하나씩

come out **one by one**
차례로 나오다

중1 필수 어휘

□ 0761

already

[ɔːlrédi]

부 이미, 벌써

I **already** finished my homework.
나는 **이미** 내 숙제를 끝냈다.

☐ 0762

first 형 첫 번째의; 최초의 부 첫 번째로; 우선

[fəːrst]

the **first** day of school
학교에서의 **첫 번째** 날

☐ 0763

second 형 두 번째의 부 두 번째로

[sékənd]

read the **second** page
두 번째 페이지를 읽다

☐ 0764

third 형 세 번째의 부 세 번째로

[θəːrd]

on the **third** day
세 번째 날에

☐ 0765

final 형 마지막의 명 결승전

[fáinl]

the **final** match
마지막 경기

☐ 0766

once 부 한 번; 이전에, 한때

[wʌns]

once in a lifetime
일생에 **한 번**

☐ 0767

twice 부 두 번; 두 배로

[twais]

check the answers **twice**
답을 **두 번** 확인하다

☐ 0768

follow 동 따라가다; 뒤를 잇다

[fáːlou]

follow other friends
다른 친구들을 **따라가다**

□ 0769

always [ɔ́:lweiz]

부 항상, 언제나

They are **always** bright.
그들은 **항상** 쾌활하다.

□ 0770

often [ɔ́:fən]

부 자주, 보통

Sarah **often** goes to the movies.
Sarah는 **자주** 영화를 보러 간다.

□ 0771

sometimes [sʌ́mtàimz]

부 때때로, 가끔

I **sometimes** forget my address.
나는 **때때로** 내 주소를 잊어버린다.

□ 0772

usually [jú:ʒuəli]

부 보통, 일반적으로

She **usually** reads books after dinner.
그녀는 **보통** 저녁 식사 후에 책을 읽는다.

□ 0773

everyday [évridei]

형 매일의, 일상적인

an **everyday** routine
매일의 일상

□ 0774

anymore [ènimɔ́:r]

부 더 이상, 이제는

does not happen **anymore**
더 이상 발생하지 않다

□ 0775

take turns

번갈아 하다, 순서대로 하다

take turns with a partner
짝과 **번갈아 하다**

Daily Test

[01~05] 단어와 뜻을 알맞은 것끼리 연결하세요.

01 again	•	• ⓐ 마지막의, 결승전
02 after	•	• ⓑ 다시
03 final	•	• ⓒ 보통
04 usually	•	• ⓓ 항상
05 always	•	• ⓔ ~ 후에, 나중에

[06~15] 영어는 우리말로, 우리말은 영어로 쓰세요.

06 before ______________

07 last ______________

08 once ______________

09 turn ______________

10 anymore ______________

11 두 번, 두 배로 ______________

12 결코 ~ 않다 ______________

13 거의 ______________

14 이미 ______________

15 때때로 ______________

[16~20] 우리말과 같은 뜻이 되도록 빈칸에 알맞은 단어를 쓰세요.

16 첫 번째 주에 in the ______________ week

17 차례로 오다 come ______________

18 줄을 서서 순서대로 하자. Let's line up and ______________.

19 그는 너무 오래 기다렸다. He waited ______________ long.

20 그녀는 자주 저녁을 거른다. She ______________ skips dinner.

Picture Review

사진과 함께 오늘 배운 단어를 다시 기억해보세요.

DAY 32 모양과 정도

친구의 잘못은 wide한 마음으로 너그럽게 이해해주세요. :)

초등 핵심 어휘

□ 0776

dot [dɑːt]

명 점

small **dots**
작은 **점들**

· · • • ● ⟵ Dot

□ 0777

line [lain]

명 선, 줄 동 줄을 세우다

draw straight **lines**
곧은 **선들**을 그리다

□ 0778

side [said]

명 면, 쪽; 옆면

one **side** of a box
박스의 한 **면**

□ 0779

low [lou]

형 낮은 부 낮게

a **low** chair
낮은 의자

□ 0780

high [hai]

형 높은 부 높게, 높이

high mountains
높은 산들

□ 0781

size 명 크기, 규모

[saiz]

the **size** of a building
건물의 **크기**

□ 0782

type 명 종류, 유형 유 kind

[taip]

What **type** of fruit is it?
그것은 어떤 **종류**의 과일이니?

□ 0783

form 명 모양, 형태 동 형성하다

[fɔːrm]

many **forms**
여러 **모양**들

□ 0784

shape 명 모양, 형태 동 (~한) 모양으로 만들다

[ʃeip]

the **shape** of the Moon
달의 **모양**

□ 0785

be filled with ~으로 가득 차다

be filled with water
물로 가득 차다

중1 필수 어휘

□ 0786

hole 명 구멍, 구덩이

[houl]

a deep **hole**
깊은 **구멍**

☐ 0787

part | 명 일부, 부분

[pɑːrt]

a **part** of the puzzle
퍼즐의 **일부**

☐ 0788

circle | 명 원형, 동그라미

[sə́ːrkl]

The mirror is a **circle.**
그 거울은 **원형**이다.

☐ 0789

triangle | 명 삼각형

[tráiæŋgl]

form a **triangle**
삼각형을 이루다

☐ 0790

diamond | 명 다이아몬드 (모양), 마름모꼴

[dáiəmənd]

a **diamond** ring
다이아몬드 반지

☐ 0791

useful | 형 유용한, 도움이 되는

[júːsfəl]

Smartphones are **useful.**
스마트폰은 **유용하다**.

☐ 0792

huge | 형 거대한, 엄청난 유 big

[hjuːdʒ]

huge rocks
거대한 바위들

☐ 0793

loop | 명 고리, 올가미

[luːp]

a **loop** of rope
밧줄의 **고리**

□ 0794

deep

형 깊은 부 깊이, 깊게

[diːp]

into the **deep** sea
깊은 바다 속으로

□ 0795

wide

형 (폭이) 넓은 부 넓게

[waid]

a **wide** road
넓은 도로

□ 0796

narrow

형 (폭이) 좁은; 가는

[nǽrou]

The street is too **narrow.**
그 거리는 너무 좁다.

□ 0797

flat

형 평평한, 납작한

[flæt]

a **flat** roof
평평한 지붕

□ 0798

round

형 둥근, 원형의 명 둥근 것, 원

[raund]

a **round** plate
둥근 접시

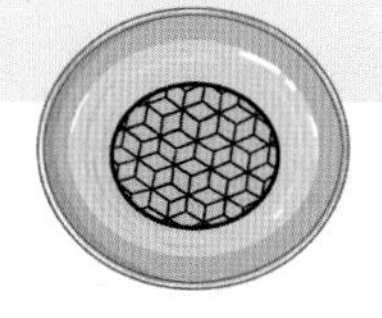

□ 0799

length

명 길이

[leŋθ]

the **length** of the Amazon River
아마존강의 길이

□ 0800

make up

~을 구성하다, 이루다

Square bricks **make up** the sidewalk.
정사각형 벽돌들이 보도를 구성한다.

Daily Test

[01~05] 단어와 뜻을 알맞은 것끼리 연결하세요.

01 shape •	• ⓐ 거대한
02 dot •	• ⓑ (폭이) 넓은, 넓게
03 circle •	• ⓒ 모양, (~한) 모양으로 만들다
04 huge •	• ⓓ 원형
05 wide •	• ⓔ 점

[06~15] 영어는 우리말로, 우리말은 영어로 쓰세요.

06 deep ________________

07 form ________________

08 flat ________________

09 type ________________

10 length ________________

11 다이아몬드 (모양) ________________

12 면, 옆면 ________________

13 고리 ________________

14 크기 ________________

15 (폭이) 좁은, 가는 ________________

[16~20] 우리말과 같은 뜻이 되도록 빈칸에 알맞은 단어를 쓰세요.

16 이야기의 일부 a(n) ________________ of the story

17 도시에 있는 몇몇 높은 빌딩들 some ________________ buildings in the city

18 그녀는 Tom에게서 유용한 도구들을 빌렸다.
She borrowed ________________ tools from Tom.

19 방이 따뜻한 공기로 가득 차 있다.
The room ________________ warm air.

20 30명의 학생들이 학급을 구성한다.
Thirty students ________________ the class.

Picture Review

사진과 함께 오늘 배운 단어를 다시 기억해보세요.

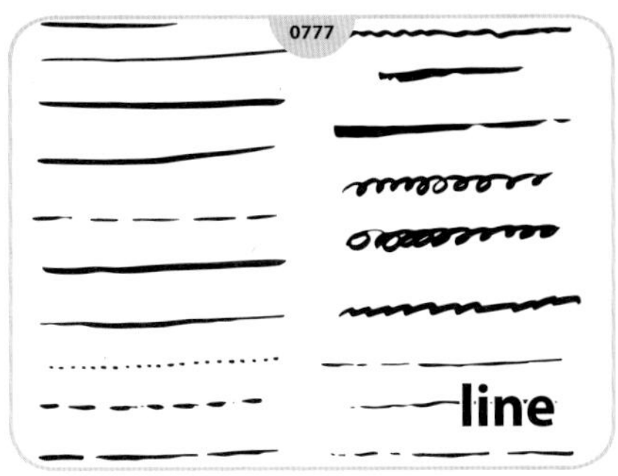

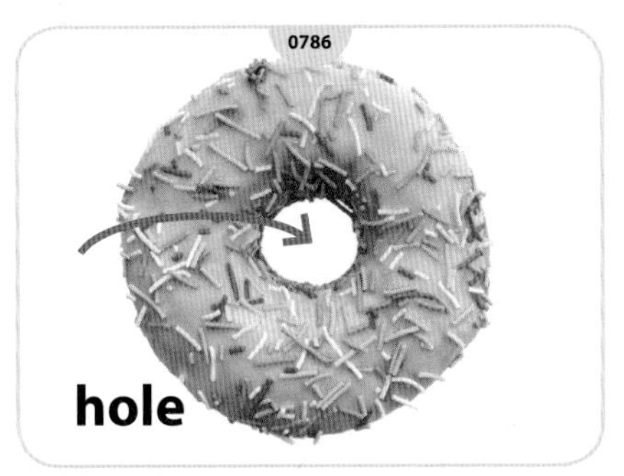

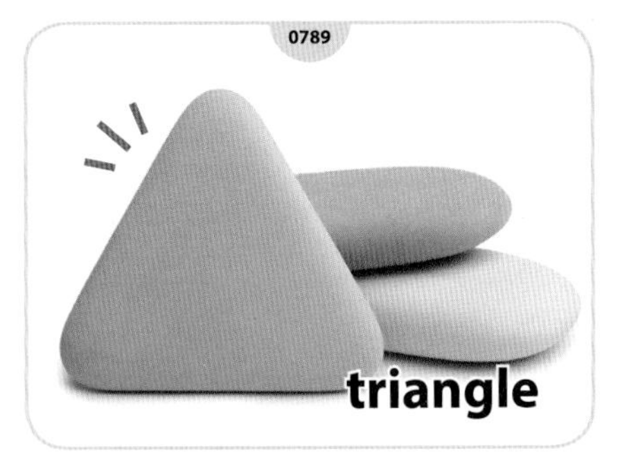

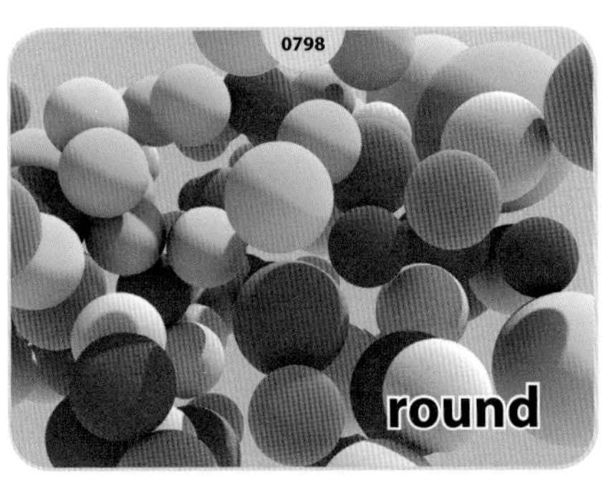

DAY 33 상태

Slow해도 꾸준히 노력하는 것이 더 중요해요. :)

초등 핵심 어휘

□ 0801

clean [kliːn]

형 깨끗한 동 깨끗하게 하다, 청소하다

a **clean** jacket
깨끗한 윗옷

□ 0802

dirty [dəːrti]

형 더러운

a **dirty** room
더러운 방

□ 0803

fast [fæst]

형 빠른 부 빨리

at a **fast** speed
빠른 속도로

□ 0804

slow [slou]

형 느린

slow cars
느린 자동차들

□ 0805

new [nuː]

형 새로운, 새 반 old 오래된

buy **new** shoes
새로운 신발을 사다

□ 0806

open 형 열린 동 열다, 열리다 반 close 닫힌; 닫다

[óupən]

an **open** door
열린 문

□ 0807

closely 부 가까이; 단단히, 꽉

[klóusli]

stand **closely** together
함께 **가까이** 서다

□ 0808

same 형 같은, 동일한 명 똑같은 것

[seim]

the **same** shape
같은 모양

□ 0809

different 형 다른; 여러 가지의

[dífərənt]

I have a **different** idea.
나는 **다른** 생각을 가지고 있다.

□ 0810

at the same time 동시에

Alarms ring **at the same time.**
알람들이 **동시에** 울린다.

중1 필수 어휘

□ 0811

ready 형 준비가 된, 준비된

[rédi]

ready to run
달릴 준비가 된

□ 0812

poor 형 가난한; 불쌍한

[puər]

The man is **poor.**
그 남자는 **가난하다.**

□ 0813

rich 형 부유한; 풍부한

[ritʃ]

a **rich** family
부유한 가정

□ 0814

busy 형 바쁜, 분주한

[bízi]

Jack is always **busy.**
Jack은 언제나 **바쁘다.**

□ 0815

hurry 동 서두르다, 급하게 하다 명 서두름, 급함

[hə́:ri]

You should **hurry.**
너는 **서둘러야** 해.

□ 0816

simple 형 간단한, 단순한

[símpl]

give a **simple** answer
간단한 답을 하다

□ 0817

hard 형 딱딱한; 어려운 반 soft 부드러운 부 열심히

[hɑ:rd]

a **hard** cover
딱딱한 표지

□ 0818

fresh 형 신선한; 새로운

[freʃ]

a **fresh** salad
신선한 샐러드

□ 0819

free [fri:]

형 자유로운; 무료의

have **free** time
자유로운 시간을 가지다

□ 0820

fine [fain]

형 좋은, 훌륭한 유 good

buy **fine** clothes
좋은 옷을 사다

□ 0821

clear [kliər]

형 맑은, 투명한; 분명한

clear water
맑은 물

□ 0822

strange [streindʒ]

형 이상한; 낯선

a **strange** noise
이상한 소리

□ 0823

perfect [pə́:rfikt]

형 완벽한, 완전한

a **perfect** dinner
완벽한 저녁 식사

□ 0824

terrible [térəbl]

형 끔찍한; 심한, 지독한

have a **terrible** accident
끔찍한 사고를 당하다

□ 0825

come true

이루어지다, 실현되다

My wish will **come true.**
내 소원은 **이루어질** 것이다.

Daily Test

[01~05] 단어와 뜻을 알맞은 것끼리 연결하세요.

01 open	ⓐ 준비가 된
02 new	ⓑ 열린, 열다
03 strange	ⓒ 새로운
04 ready	ⓓ 좋은
05 fine	ⓔ 이상한, 낯선

[06~15] 영어는 우리말로, 우리말은 영어로 쓰세요.

06 clear	________	**11** 완벽한	________
07 free	________	**12** 더러운	________
08 poor	________	**13** 같은, 똑같은 것	________
09 closely	________	**14** 끔찍한, 심한	________
10 different	________	**15** 부유한, 풍부한	________

[16~20] 우리말과 같은 뜻이 되도록 빈칸에 알맞은 단어를 쓰세요.

16 신선한 과일을 먹다 eat ________ fruit

17 동시에 듣고 적다 listen and write ________

18 네 꿈은 실현될 거야. Your dreams will ________.

19 그의 컴퓨터는 너무 느리다. His computer is too ________.

20 나는 간단한 샌드위치 레시피를 안다.
I know a(n) ________ sandwich recipe.

Picture Review

사진과 함께 오늘 배운 단어를 다시 기억해보세요.

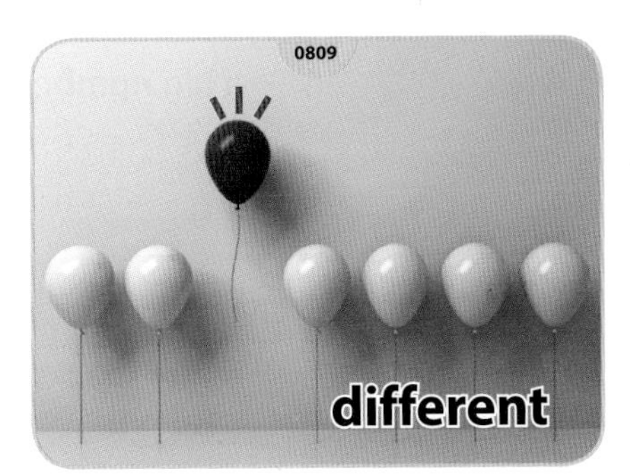

DAY 34 수와 양

세상에서 가장 큰 number는 무엇일까요?

초등 핵심 어휘

□ 0826

number 명 숫자, 수; 번호

[nʌ́mbər]

a big **number**
큰 숫자

□ 0827

many 형 많은, 다수의

[méni]

many snacks
많은 간식들

□ 0828

much 형 많은 부 많이, 매우

[mʌtʃ]

How **much** money do you need?
너는 얼마나 **많은** 돈이 필요하니?

□ 0829

more 형 더 많은 부 더 많이, 더

[mɔːr]

need **more** information
더 많은 정보를 필요로 하다

□ 0830

less 형 더 적은 부 더 적게, 덜

[les]

eat **less** cake
더 적은 케이크를 먹다

□ 0831

fill — 동 채우다, 채워 넣다

[fil]

Fill the pencil case with pencils.
연필들로 필통을 **채워라**.

□ 0832

some — 형 약간의, 조금의; 어떤, 무슨

[səm]

Cut **some** carrots.
약간의 당근을 썰어라.

□ 0833

all — 형 모든, 전부의 대 모두, 다

[ɔːl]

all my toys
내 **모든** 장난감들

□ 0834

zero — 형 영(0)의 명 영(0)

[zíərou]

fall to **zero** degrees
영도까지 떨어지다

□ 0835

up to — ~까지

Count **up to** ten.
열**까지** 세라.

중1 필수 어휘

□ 0836

hundred — 형 백(100)의 명 백(100)

[hʌ́ndrəd]

one **hundred** years old
백 살

□ 0837

thousand 형 천(1,000)의 명 천(1,000)

[θáuzənd]

a history of over a **thousand** years
천 년에 걸친 역사

□ 0838

million 형 백만의 명 백만

[míljən]

one **million** dollars
백만 달러

□ 0839

billion 형 십억의 명 십억

[bíljən]

spend a **billion** dollars
십억 달러를 쓰다

□ 0840

nothing 대 아무것도 (~ 아니다, 없다)

[nʌ́θiŋ]

Nothing happened.
아무것도 일어나지 않았다.

□ 0841

little 형 적은, 많지 않은; 어린

[lítl]

little money
적은 돈

□ 0842

a little 약간의, 조금

have **a little** time
약간의 시간이 있다

□ 0843

few 형 많지 않은, 적은

[fjuː]

visit **few** cities
많지 않은 도시들을 방문하다

□ 0844

a few

몇몇의, 약간

I sold **a few** items.
나는 **몇몇** 물건들을 팔았다.

□ 0845

a lot of

많은

a lot of chairs
많은 의자들

□ 0846

several

[sévərəl]

형 몇몇의, 여러 가지의

several examples
몇몇 예시들

□ 0847

amount

[əmáunt]

명 양; 금액, 액수

an **amount** of work
일의 **양**

□ 0848

half

[hæf]

명 반, 절반 형 반의, 절반의

cut the apple in **half**
사과를 **반**으로 자르다

□ 0849

enough

[inʌ́f]

형 충분한 부 충분히

get **enough** sunlight
충분한 햇빛을 받다

□ 0850

be full of

~으로 가득 차다

The elevator **is full of** people.
엘리베이터가 사람들로 **가득 찼다**.

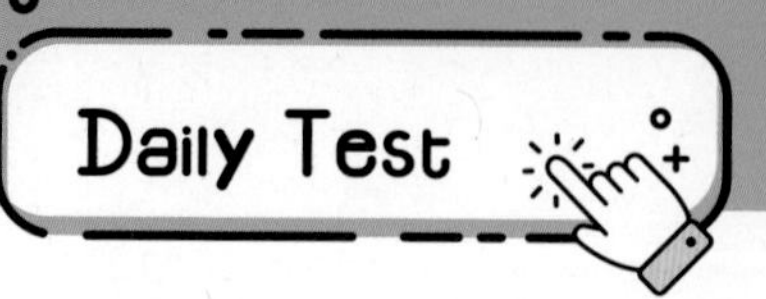

Daily Test

[01~05] 단어와 뜻을 알맞은 것끼리 연결하세요.

01 billion	•	• ⓐ 많은, 많이
02 little	•	• ⓑ 적은, 어린
03 some	•	• ⓒ 십억의, 십억
04 much	•	• ⓓ 아무것도 (~ 아니다)
05 nothing	•	• ⓔ 약간의, 어떤

[06~15] 영어는 우리말로, 우리말은 영어로 쓰세요.

06 a lot of ____________

07 a little ____________

08 few ____________

09 a few ____________

10 several ____________

11 백만의, 백만 ____________

12 반, 반의 ____________

13 더 적은, 더 적게 ____________

14 양, 금액 ____________

15 충분한, 충분히 ____________

[16~20] 우리말과 같은 뜻이 되도록 빈칸에 알맞은 단어를 쓰세요.

16 50퍼센트까지 할인하다 a discount of ____________ 50 percent

17 바구니 안에 있는 모든 사탕들 ____________ the candies in the basket

18 돼지 저금통이 동전들로 가득 차 있다. A piggy bank ____________ coins.

19 Jenny는 나보다 더 많은 친구들이 있다.
Jenny has ____________ friends than me.

20 그는 시험에서 영점을 받았다.
He got ____________ points on the exam.

Picture Review

사진과 함께 오늘 배운 단어를 다시 기억해보세요.

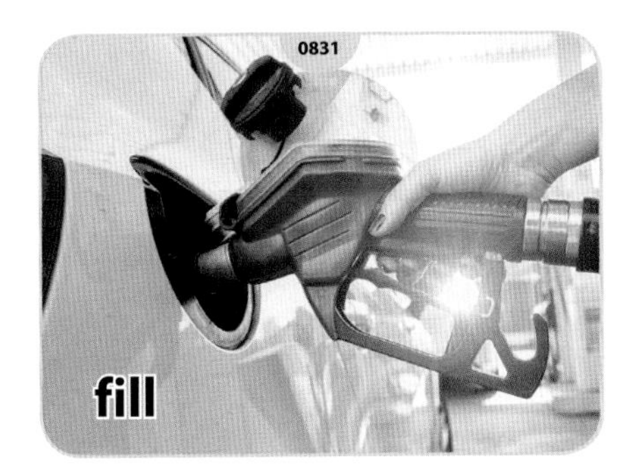

DAY 35 방향과 위치

산의 top에서 시원하고 맑은 공기를 마실 수 있어요.

초등 핵심 어휘

□ 0851

on [ɔːn]

전 ~ 위에

on the desk
책상 **위에**

□ 0852

under [ʌ́ndər]

전 ~ 아래에

hide **under** the table
탁자 **아래에** 숨다

□ 0853

in [in]

전 ~ 안에

put the bird **in** a cage
새를 새장 **안에** 넣다

□ 0854

left [left]

형 왼쪽의 부 왼쪽으로

Open the **left** door.
왼쪽 문을 열어라.

□ 0855

right [rait]

형 오른쪽의 부 오른쪽으로

to the **right** side
오른쪽 방향으로

□ 0856

near

[niər]

부 가까이 형 가까운 ㊒ close

come **near**
가까이 오다

□ 0857

far

[fɑːr]

부 멀리 형 (거리·시간이) 먼

go **far**
멀리 가다

□ 0858

front

[frʌnt]

명 앞부분, 앞면 형 앞쪽의, 앞의

the **front** of the car
자동차의 앞부분

□ 0859

back

[bæk]

형 뒤쪽의, 뒤의 부 뒤에, 뒤로

back door
뒤쪽 문

□ 0860

get out of

~에서 나가다

get out of the house
집에서 나가다

중1 필수 어휘

□ 0861

around

[əráund]

전 ~ 주위에, ~을 둘러싸고 부 주위에, 둘레에

around the school
학교 주위에

□ 0862

above 전 (~보다) 위에, 위로 부 위에

[əbʌ́v]

fly **above** the clouds
구름 **위에** 날다

□ 0863

below 전 (~보다) 아래에 부 아래에

[bilóu]

below the ground
땅 **아래에**

□ 0864

top 명 꼭대기, 정상; 윗면 형 맨 위의, 꼭대기의

[tɑ:p]

the **top** of the mountain
산의 **꼭대기**

□ 0865

behind 전 ~ 뒤에 부 뒤에, 뒤떨어져

[biháind]

stand **behind** a friend
친구 **뒤에** 서다

□ 0866

east 명 동쪽 형 동쪽의 부 동쪽으로

[i:st]

from the **east**
동쪽으로부터

□ 0867

west 명 서쪽 형 서쪽의 부 서쪽으로

[west]

The sun goes down in the **west**.
해는 **서쪽**으로 진다.

□ 0868

south 명 남쪽 형 남쪽의 부 남쪽으로

[sauθ]

south of my house
내 집의 **남쪽**

□ 0869

north

명 북쪽 형 북쪽의 부 북쪽으로

[nɔːrθ]

point to the **north**
북쪽을 가리키다

□ 0870

between

전 ~ 사이에

[bitwíːn]

between the bank and the hospital
은행과 병원 **사이에**

□ 0871

middle

명 중앙, 가운데 형 중앙의, 가운데의

[mídl]

in the **middle** of the playground
운동장의 **중앙**에

□ 0872

next

형 다음의 부 다음에

[nekst]

next year
다음 해

□ 0873

inside

전 ~ 안에 부 안에 형 내부의 명 내부

[ìnsáid]

inside a box
상자 **안에**

□ 0874

outside

전 ~ 밖에 부 밖에 형 외부의 명 외부

[àutsáid]

stay **outside** the house
집 **밖에** 있다

□ 0875

upside down

(위아래가) 거꾸로, 뒤집혀

turn **upside down**
거꾸로 뒤집다

Daily Test

[01~05] 단어와 뜻을 알맞은 것끼리 연결하세요.

01 right	ⓐ (~보다) 아래에, 아래에
02 back	ⓑ 오른쪽의, 오른쪽으로
03 west	ⓒ 뒤쪽의, 뒤에
04 below	ⓓ 서쪽, 서쪽의, 서쪽으로
05 next	ⓔ 다음의, 다음에

[06~15] 영어는 우리말로, 우리말은 영어로 쓰세요.

06 above ______________

07 outside ______________

08 in ______________

09 front ______________

10 south ______________

11 왼쪽의, 왼쪽으로 ______________

12 가까이, 가까운 ______________

13 ~ 주위에, 주위에 ______________

14 북쪽, 북쪽의, 북쪽으로 ______________

15 중앙, 중앙의 ______________

[16~20] 우리말과 같은 뜻이 되도록 빈칸에 알맞은 단어를 쓰세요.

16 학교로부터 멀리 살다 live ______________ from school

17 선반과 텔레비전 사이에 ______________ the shelf and television

18 나는 컵을 거꾸로 놓았다. I put the cup ______________.

19 해는 동쪽에서 뜬다. The sun rises in the ______________.

20 내 방에서 나가라. ______________ my room.

Picture Review

사진과 함께 오늘 배운 단어를 다시 기억해보세요.

Good luck!

SECTION 6

Nature

자연

식물

단풍 leaf가 꽃처럼 붉게 물드는 가을은 두 번째 봄이라는 별명을 가지고 있어요.

초등 핵심 어휘

□ 0876

tree [tri:]
명 나무
a maple **tree**
단풍**나무**

□ 0877

leaf [li:f]
명 잎 복 leaves
a green **leaf**
초록 **잎**

□ 0878

wood [wud]
명 (-s) 숲; 나무, 목재 유 forest
go into the **woods**
숲속으로 들어가다

□ 0879

flower [fláuər]
명 꽃
Many **flowers** bloom in spring.
많은 **꽃**들이 봄에 핀다.

□ 0880

bee [bi:]
명 벌
A **bee** sat on a flower.
벌이 꽃 위에 앉았다.

□ 0881

field

명 밭, 들판; 경기장

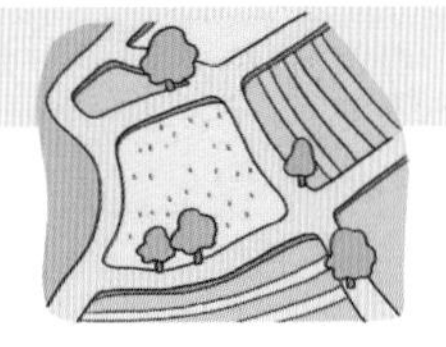

[fiːld]

a huge **field**
넓은 **밭**

□ 0882

fruit

명 열매, 과일

[fruːt]

colorful **fruits**
다채로운 **열매들**

□ 0883

branch

명 나뭇가지

[bræntʃ]

a broken **branch**
부러진 **나뭇가지**

□ 0884

grass

명 잔디, 풀

[græs]

water the **grass**
잔디에 물을 주다

□ 0885

take care of

~을 돌보다, ~에 신경쓰다

take care of the plants
식물들**을 돌보다**

DAY 36

해커스 보카 중학 기초

중1 필수 어휘

□ 0886

fall

동 떨어지다 (fell-fallen)　명 가을

[fɔːl]

Leaves **fall** from a tree.
잎들이 나무에서 **떨어진다**.

☐ 0887

ground — 명 땅, 지면; 토양 유 land

[graund]

Grass covers the **ground**.
잔디가 **땅**을 덮는다.

☐ 0888

farm — 명 농장

[fɑːrm]

trees on the **farm**
농장에 있는 나무들

☐ 0889

grain — 명 곡물

[grein]

a kind of **grain**
곡물의 한 종류

☐ 0890

soil — 명 흙, 토양

[sɔil]

in wet **soil**
축축한 **흙** 속에

☐ 0891

wild — 형 야생의

[waild]

wild roses
야생 장미

☐ 0892

plant — 명 식물 동 (식물 등을) 심다

[plænt]

an indoor **plant**
실내 **식물**

☐ 0893

root — 명 뿌리

[ruːt]

the **root** of a tree
나무의 **뿌리**

□ 0894

strawberry 명 딸기

[strɔ́:beri]

pick **strawberries**
딸기들을 따다

□ 0895

seed 명 씨, 씨앗

[si:d]

plant the sunflower **seeds**
해바라기 씨를 심다

□ 0896

stem 명 줄기

[stem]

a thick **stem**
굵은 줄기

□ 0897

discover 동 발견하다 유 find

[diskʌ́vər]

discover a new flower
새로운 꽃을 발견하다

□ 0898

block 동 막다

[blɑ:k]

Tree leaves **block** the rain.
나뭇잎들이 비를 막는다.

□ 0899

sunlight 명 햇빛

[sʌ́nlait]

grow under strong **sunlight**
강한 햇빛 아래에서 자라다

□ 0900

feel like ~하고 싶다; ~한 느낌이 있다

feel like going to a forest
숲에 가고 싶다

Daily Test

[01~05] 단어와 뜻을 알맞은 것끼리 연결하세요.

01 bee	•	• ⓐ 줄기
02 grass	•	• ⓑ 뿌리
03 root	•	• ⓒ 벌
04 soil	•	• ⓓ 잔디
05 stem	•	• ⓔ 흙

[06~15] 영어는 우리말로, 우리말은 영어로 쓰세요.

06 fall ______________

07 field ______________

08 farm ______________

09 wood ______________

10 wild ______________

11 땅, 토양 ______________

12 꽃 ______________

13 곡물 ______________

14 열매 ______________

15 햇빛 ______________

[16~20] 우리말과 같은 뜻이 되도록 빈칸에 알맞은 단어를 쓰세요.

16 나뭇가지에 닿다 reach the ______________

17 딸기잼을 사다 buy ______________ jam

18 부러진 나무들이 도로를 막았다. Broken trees ______________ the road.

19 나의 부모님은 농사에 신경쓴다. My parents ______________ the farming.

20 나는 꽃들을 사고 싶다. I ______________ buying flowers.

Picture Review

사진과 함께 오늘 배운 단어를 다시 기억해보세요.

DAY 37 동물

여러분이 실제로 보고 싶은 animal은 무엇인가요?

초등 핵심 어휘

□ 0901

animal — 명 동물

[ǽnəməl]

a small **animal**
작은 **동물**

□ 0902

cow — 명 젖소, 암소

[kau]

raise a **cow**
젖소를 기르다

□ 0903

duck — 명 오리

[dʌk]

ducks on the lake
호수 위의 **오리들**

□ 0904

dog — 명 개

[dɔːg]

walk my **dog**
나의 **개**를 산책시키다

□ 0905

bark — 동 짖다

[baːrk]

The neighbor's dogs **bark** every night.
그 이웃의 개들은 매일 밤 **짖는다**.

□ 0906

monkey [mʌ́ŋki]

명 원숭이

Kids like **monkeys.**
아이들은 **원숭이들**을 좋아한다.

□ 0907

bear [beər]

명 곰

a big brown **bear**
큰 갈색의 **곰**

□ 0908

horse [hɔːrs]

명 말

ride a **horse**
말을 타다

□ 0909

ant [ænt]

명 개미

a group of **ants**
개미 떼

□ 0910

run away

도망가다, 달아나다

The scared animals **run away.**
겁먹은 동물들이 **도망간다.**

중1 필수 어휘

□ 0911

mouse [maus]

명 쥐, 생쥐 복 mice

catch a **mouse**
쥐를 잡다

□ 0912

zebra 명 얼룩말

[zí:brə]

Zebras have stripes.
얼룩말들은 줄무늬를 가지고 있다.

□ 0913

fox 명 여우

[fɑ:ks]

Foxes are smart.
여우들은 영리하다.

□ 0914

goat 명 염소

[gout]

Goats eat grass.
염소들이 풀을 먹는다.

□ 0915

tiger 명 호랑이

[táigər]

a **tiger** in a zoo
동물원에 있는 **호랑이**

□ 0916

deer 명 사슴 복 deer

[diər]

a herd of **deer**
사슴 한 무리

□ 0917

shark 명 상어

[ʃɑ:rk]

a **shark's** sharp teeth
상어의 날카로운 이빨

□ 0918

sheep 명 양 복 sheep

[ʃi:p]

feed the **sheep**
양에게 먹이를 주다

☐ 0919

turtle 명 거북

[tə́:rtl]

the rabbit and the **turtle**
토끼와 **거북**

☐ 0920

crocodile 명 악어

[krɑ́:kədail]

crocodiles in the river
강 속의 **악어들**

☐ 0921

turkey 명 칠면조

[tə́:rki]

A **turkey** is a large bird.
칠면조는 큰 새이다.

☐ 0922

owl 명 올빼미, 부엉이

[aul]

Owls are active at night.
올빼미들은 밤에 활동적이다.

☐ 0923

goose 명 거위 복 geese

[gu:s]

the **goose** with the golden eggs
황금알을 낳는 **거위**

☐ 0924

camel 명 낙타

[kǽməl]

the hump on the **camel**'s back
낙타 등에 있는 혹

☐ 0925

come from ~에서 오다, 나다

These birds **come from** Africa.
이 새들은 아프리카**에서 온다**.

Daily Test

[01~05] 단어와 뜻을 알맞은 것끼리 연결하세요.

01 ant • • ⓐ 동물

02 animal • • ⓑ 칠면조

03 turkey • • ⓒ 얼룩말

04 camel • • ⓓ 낙타

05 zebra • • ⓔ 개미

[06~15] 영어는 우리말로, 우리말은 영어로 쓰세요.

06 bark ____________

07 bear ____________

08 dog ____________

09 fox ____________

10 owl ____________

11 악어 ____________

12 오리 ____________

13 호랑이 ____________

14 양 ____________

15 거위 ____________

[16~20] 우리말과 같은 뜻이 되도록 빈칸에 알맞은 단어를 쓰세요.

16 느린 거북 a slow ____________

17 도시 쥐와 시골 쥐
the town ____________ and the country ____________

18 그 말은 빨리 달린다. The ____________ runs fast.

19 몇몇 토끼들이 독수리로부터 달아난다.
Some rabbits ____________ from eagles.

20 코알라들은 어디에서 왔니?
Where did koalas ____________?

Good luck!

Picture Review

사진과 함께 오늘 배운 단어를 다시 기억해보세요.

DAY 38 지형

건조한 desert와 습한 jungle에도, 다양한 생명체들이 살고 있어요.

초등 핵심 어휘

□ 0926

land [lænd]

명 육지, 땅 동 착륙하다

dry **land**
건조한 **육지**

□ 0927

river [rívər]

명 강, 하천

the Nile **River**
나일 **강**

□ 0928

lake [leik]

명 호수

The **lake** freezes in the winter.
겨울에 **호수**가 얼어붙는다.

□ 0929

sea [siː]

명 바다

clear and blue **sea**
맑고 푸른 **바다**

□ 0930

beach [biːtʃ]

명 해변, 바닷가

a sandy **beach**
모래로 뒤덮인 **해변**

☐ 0931

ocean 명 대양

[óuʃən]

the five **oceans**
오대양

☐ 0932

mountain 명 산

[máuntən]

The **mountain** is tall.
그 산은 높다.

☐ 0933

earth 명 지구; 흙

[ə:rθ]

on the **Earth**
지구 위에

☐ 0934

hill 명 언덕, 낮은 산

[hil]

on the **hill**
언덕 위에

☐ 0935

at first 처음에는

At first, no one lived near here.
처음에는, 여기 근처에 아무도 살지 않았다.

중1 필수 어휘

☐ 0936

natural 형 자연의, 천연의

[nætʃərəl]

natural scenery
자연 풍경

☐ 0937

forest | 명 숲 유 woods

[fɔ́:rist]

plant trees in the **forest**
숲속에 나무들을 심다

☐ 0938

pond | 명 연못

[pɑ:nd]

a muddy **pond**
진흙투성이의 **연못**

☐ 0939

stream | 명 시내, 개울

[stri:m]

The **stream** flows freely.
시내가 자유롭게 흐른다.

☐ 0940

coast | 명 해안

[koust]

the **coast** of Australia
호주의 **해안**

☐ 0941

shore | 명 물가, 해안

[ʃɔ:r]

near the **shore**
물가 근처에

☐ 0942

desert | 명 사막

[dézərt]

the Sahara **Desert**
사하라 **사막**

☐ 0943

jungle | 명 정글, 밀림

[dʒʌ́ŋgl]

Many animals live in the **jungle**.
많은 동물들이 **정글**에 산다.

□ 0944

island

명 섬

[áilənd]

Hawaii is an **island.**
하와이는 **섬**이다.

□ 0945

valley

명 골짜기, 계곡

[væli]

a deep **valley**
깊은 **골짜기**

□ 0946

waterfall

명 폭포

[wɔ́:tərfɔ:l]

a beautiful **waterfall**
아름다운 **폭포**

□ 0947

surface

명 표면

[sə́:rfis]

the water's **surface**
물의 **표면**

□ 0948

polar

형 극의, 극지의

[póulər]

the **polar** area
극지방

□ 0949

continent

명 대륙

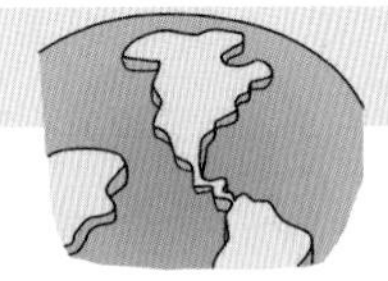

[kɑ́:ntənənt]

the North American **continent**
북아메리카 **대륙**

□ 0950

find out

알아내다, 발견하다

find out nature's secrets
자연의 비밀을 **알아내다**

Daily Test

[01~05] 단어와 뜻을 알맞은 것끼리 연결하세요.

01 forest • • ⓐ 물가

02 sea • • ⓑ 바다

03 shore • • ⓒ 골짜기

04 pond • • ⓓ 숲

05 valley • • ⓔ 연못

[06~15] 영어는 우리말로, 우리말은 영어로 쓰세요.

06 land ____________

07 ocean ____________

08 beach ____________

09 river ____________

10 continent ____________

11 극의, 극지의 ____________

12 자연의 ____________

13 사막 ____________

14 지구, 흙 ____________

15 표면 ____________

[16~20] 우리말과 같은 뜻이 되도록 빈칸에 알맞은 단어를 쓰세요.

16 섬에 가는 보트를 타다 ride a boat to the ____________

17 허드슨 강의 길이를 알아내다 ____________ the length of the Hudson River

18 악어들은 밀림에 산다. Crocodiles live in the ____________.

19 세계에서 가장 큰 폭포는 무엇일까?
What is the largest ____________ in the world?

20 처음에는, 사람들이 그 숲에 가지 않았다.
____________, people did not go to the woods.

Picture Review

사진과 함께 오늘 배운 단어를 다시 기억해보세요.

0933
earth

0939
stream

DAY 39 날씨와 계절

영원히 지속되는 winter는 없어요. 지금 힘든 일이 있더라도 언젠가는 spring이 올 거예요.

초등 핵심 어휘

□ 0951

snow [snou]

명 눈 동 눈이 내리다

heavy **snow**
세찬 **눈**

□ 0952

wind [wind]

명 바람

A strong **wind** blows.
강한 **바람**이 분다.

□ 0953

cloud [klaud]

명 구름

the shape of a **cloud**
구름의 모양

□ 0954

hot [hɑ:t]

형 더운, 뜨거운

a **hot** summer day
더운 여름날

□ 0955

cool [ku:l]

형 시원한 동 식히다

It is **cool** outside.
밖이 **시원하다**.

□ 0956

cold

형 추운, 차가운

[kould]

cold weather
추운 날씨

□ 0957

warm

형 따뜻한 동 데우다

[wɔːrm]

under the **warm** sunlight
따뜻한 햇빛 아래에서

□ 0958

fan

명 선풍기, 부채

[fæn]

turn on the **fan**
선풍기를 켜다

□ 0959

rain

명 비 동 비가 오다

[rein]

The **rain** does not stop.
비가 그치지 않는다.

□ 0960

these days

요즘

I wear sandals **these days.**
나는 **요즘** 샌들을 신는다.

중1 필수 어휘

□ 0961

weather

명 날씨, 기상

[wéðər]

today's **weather**
오늘의 **날씨**

□ 0962

season 명 계절

[sí:zn]

four **seasons**
사계절

□ 0963

spring 명 봄

[spriŋ]

Snow melts in **spring**.
봄에 눈이 녹는다.

□ 0964

summer 명 여름

[sʌ́mər]

It is humid in the **summer**.
여름에는 습하다.

□ 0965

autumn 명 가을 유 fall

[ɔ́:təm]

a chilly **autumn**
쌀쌀한 **가을**

□ 0966

winter 명 겨울

[wíntər]

a long and cold **winter**
길고 추운 **겨울**

□ 0967

sunny 형 화창한, 햇빛이 잘 드는

[sʌ́ni]

one **sunny** day
어느 **화창한** 날

□ 0968

umbrella 명 우산

[ʌmbrélə]

Take an **umbrella**.
우산을 챙겨라.

☐ 0969

foggy

형 안개가 낀

[fɔ́:gi]

a **foggy** road
안개가 낀 도로

☐ 0970

freezing

형 몹시 추운

[frí:ziŋ]

It's **freezing** today.
오늘은 **몹시 춥다.**

☐ 0971

blow

동 (바람이) 불다 (blew-blown)

[blou]

The wind is **blowing** hard.
바람이 세게 **불고** 있다.

☐ 0972

humid

형 습한

[hjú:mid]

humid air
습한 공기

☐ 0973

shower

명 소나기

[ʃáuər]

a heavy **shower**
거센 **소나기**

☐ 0974

lightning

명 번개

[láitniŋ]

a flash of **lightning**
번개의 번쩍임

☐ 0975

for a while

당분간, 잠시 동안

It will be cold **for a while.**
당분간 추울 것이다.

Daily Test

[01~05] 단어와 뜻을 알맞은 것끼리 연결하세요.

01 hot	•	• ⓐ 추운
02 spring	•	• ⓑ 봄
03 cold	•	• ⓒ 눈, 눈이 내리다
04 sunny	•	• ⓓ 화창한
05 snow	•	• ⓔ 더운

[06~15] 영어는 우리말로, 우리말은 영어로 쓰세요.

06 autumn ____________

07 wind ____________

08 cool ____________

09 lightning ____________

10 winter ____________

11 비, 비가 오다 ____________

12 우산 ____________

13 소나기 ____________

14 날씨 ____________

15 여름 ____________

[16~20] 우리말과 같은 뜻이 되도록 빈칸에 알맞은 단어를 쓰세요.

16 계절들의 변화 the changing of ____________

17 덥고 습한 여름 a hot and ____________ summer

18 구름들이 회색이다. ____________ are gray.

19 요즘 몹시 춥다. It is freezing ____________.

20 당분간, 너는 네 눈을 보호하기 위해 선글라스를 착용해야 한다.
____________, you should wear sunglasses to protect your eyes.

Picture Review

사진과 함께 오늘 배운 단어를 다시 기억해보세요.

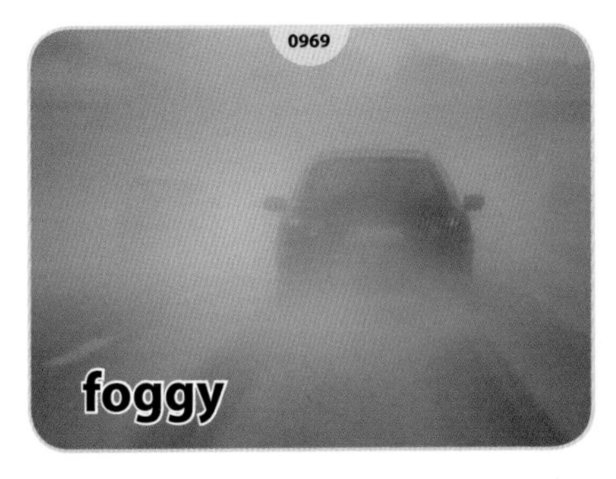

자연환경

마지막 날까지 energy를 가지고 열심히 해보자고요! :)

초등 핵심 어휘

□ 0976

nature | 명 자연

[néitʃər]

a secret of **nature**
자연의 비밀

□ 0977

air | 명 공기; 공중

[eər]

get some fresh **air**
신선한 **공기**를 마시다

□ 0978

stone | 명 돌, 돌멩이

[stoun]

stone walls
돌담

□ 0979

rock | 명 바위, 암석, 돌

[rɑːk]

the huge **rock** on the mountain
산 위에 있는 커다란 **바위**

□ 0980

sand | 명 모래

[sænd]

sand on the beach
해변에 있는 **모래**

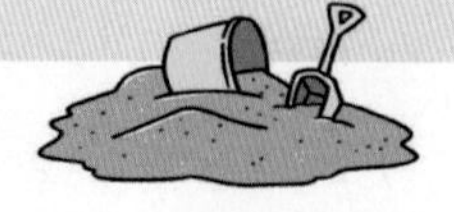

□ 0981

sun 명 해, 태양

[sʌn]

The **sun** shines brightly.
해가 환하게 빛난다.

□ 0982

moon 명 달

[muːn]

the full **moon**
보름**달**

□ 0983

star 명 별

[stɑːr]

count the **stars**
별들을 세다

□ 0984

sky 명 하늘

[skai]

the blue **sky**
푸른 **하늘**

□ 0985

pick up ~을 줍다, 집다; ~를 차로 데려오다

pick up the trash
쓰레기를 **줍다**

중1 필수 어휘

□ 0986

gas 명 기체, 가스

[gæs]

Jupiter is made of **gas**.
목성은 **기체**로 만들어져 있다.

☐ 0987

matter — 명 물질; 문제

[mǽtər]

Rocks are hard **matter**.
바위는 단단한 **물질**이다.

☐ 0988

space — 명 우주; 공간

[speis]

space travel
우주 여행

☐ 0989

planet — 명 행성

[plǽnit]

go to another **planet**
또 다른 **행성**으로 가다

☐ 0990

solar — 형 태양의

[sóulər]

the **solar** system
태양계

☐ 0991

energy — 명 에너지, 활기

[énərdʒi]

use wind **energy**
풍력 **에너지**를 이용하다

☐ 0992

save — 동 구하다, 지키다; 절약하다

[seiv]

save wild animals
야생동물들을 **구하다**

☐ 0993

destroy — 동 파괴하다

[distrɔ́i]

Don't **destroy** nature.
자연을 **파괴하지** 마.

□ 0994

trash | 명 쓰레기

[træʃ]

leave **trash** everywhere
사방에 **쓰레기**를 남기다

□ 0995

garbage | 명 (음식물·휴지 등의) 쓰레기

[gɑ́:rbidʒ]

Take out the **garbage**.
쓰레기를 내다 놓아라.

□ 0996

raw | 형 가공하지 않은, 날것의

[rɔ:]

raw material
가공하지 않은 재료

□ 0997

recycling | 명 재활용

[rì:sáikliŋ]

a **recycling** bin
재활용 통

□ 0998

environment | 명 환경

[inváiərənmənt]

protect the **environment**
환경을 보호하다

□ 0999

problem | 명 문제

[prɑ́:bləm]

solve the **problem** of air pollution
대기오염 **문제**를 해결하다

□ 1000

throw away | ~을 버리다

throw away trash
쓰레기를 **버리다**

Daily Test

[01~05] 단어와 뜻을 알맞은 것끼리 연결하세요.

01 gas	•	• ⓐ 해
02 sun	•	• ⓑ 기체
03 stone	•	• ⓒ 물질, 문제
04 matter	•	• ⓓ 공기, 공중
05 air	•	• ⓔ 돌

[06~15] 영어는 우리말로, 우리말은 영어로 쓰세요.

06 star ______________

07 recycling ______________

08 save ______________

09 problem ______________

10 garbage ______________

11 자연 ______________

12 태양의 ______________

13 행성 ______________

14 에너지 ______________

15 가공하지 않은 ______________

[16~20] 우리말과 같은 뜻이 되도록 빈칸에 알맞은 단어를 쓰세요.

16 금빛 모래 위를 걷다 walk on the golden ______________

17 숲을 파괴하다 ______________ the forest

18 땅에 있는 병을 주워라. ______________ the bottle on the ground.

19 쓰레기를 버리지 마라. Don't ______________ the trash.

20 나는 환경에 대해 걱정한다. I worry about the ______________.

Picture Review

사진과 함께 오늘 배운 단어를 다시 기억해보세요.

불규칙 동사표

A-B-C 형

원형, 과거형, 과거분사형이 모두 달라요.

원형	과거형	과거분사형
begin 시작하다	began	begun
blow 불다	blew	blown
break 깨뜨리다	broke	broken
choose 고르다	chose	chosen
dive (물속으로) 뛰어들다	dove	dived
do 하다	did	done
draw 그리다	drew	drawn
drink 마시다	drank	drunk
eat 먹다	ate	eaten
fall 떨어지다	fell	fallen
forget 잊다	forgot	forgotten
get 받다	got	gotten
give 주다	gave	given
go 가다	went	gone

원형	과거형	과거분사형
grow 성장하다	grew	grown
know 알다	knew	known
ride (탈것을) 타다	rode	ridden
see 보다	saw	seen
shake 흔들리다	shook	shaken
show 보여주다	showed	shown
sing 노래하다	sang	sung
speak 말하다	spoke	spoken
swim 수영하다	swam	swum
take 가져가다	took	taken
throw 던지다	threw	thrown
wake (잠에서) 깨다	woke	woken
wear 입고 있다	wore	worn
write (글자를) 쓰다	wrote	written

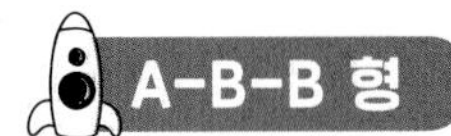

과거형, 과거분사형이 같아요.

원형	과거형	과거분사형
bring 가져오다	brought	brought
build 짓다	built	built
buy 사다	bought	bought
catch 잡다	caught	caught
feel 느끼다	felt	felt
find 찾다	found	found
fight 싸우다	fought	fought
hold 잡고 있다	held	held
keep 계속하다	kept	kept
leave 떠나다	left	left
lose 지다	lost	lost
make 만들다	made	made
mean 의미하다	meant	meant
meet 만나다	met	met
say 말하다	said	said
sell 팔다	sold	sold
shine 빛나다	shone	shone
sit 앉다	sat	sat
sleep 잠을 자다	slept	slept
spend (돈·시간을) 쓰다	spent	spent
stand 서다	stood	stood
teach 가르치다	taught	taught
tell 말하다	told	told
think 생각하다	thought	thought
understand 이해하다	understood	understood
win 이기다	won	won

원형, 과거형, 과거분사형이 모두 같아요.

원형	과거형	과거분사형
cut 자르다	cut	cut
fit 알맞다	fit	fit
hurt 아프다	hurt	hurt
put 놓다	put	put
read 읽다	read	read

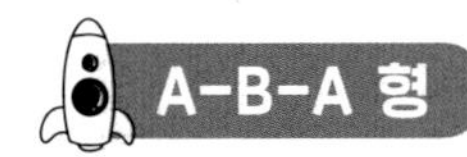

원형, 과거분사형이 같아요.

원형	과거형	과거분사형
become ~이 되다	became	become
come 오다	came	come
run 달리다	ran	run

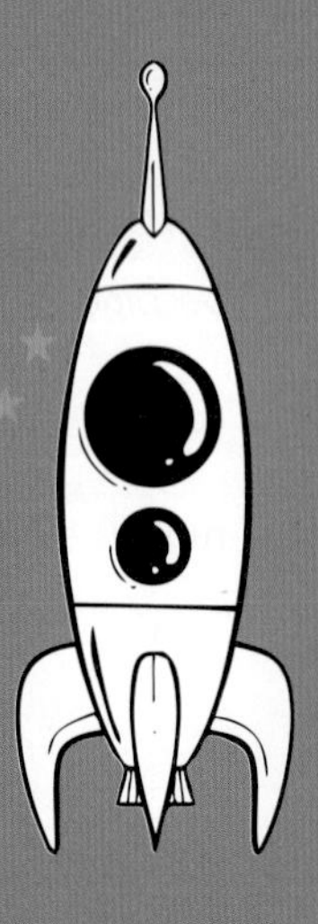

ANSWER KEYS

SECTION 1
사람 People

DAY 01
p. 14

01 ⓓ 02 ⓔ
03 ⓐ 04 ⓒ
05 ⓑ 06 사람들
07 왕 08 나이
09 신사 10 남자
11 good 12 dear
13 adult 14 lady
15 husband 16 wife
17 look for 18 woman
19 teenager 20 show up

DAY 02
p. 20

01 ⓔ 02 ⓑ
03 ⓐ 04 ⓒ
05 ⓓ 06 딸
07 집, 가정, 집으로, 집에 08 결혼하다
09 삶, 인생 10 할아버지
11 father 12 sister
13 raise 14 uncle
15 couple 16 each other
17 family 18 care for
19 parents 20 aunt

DAY 03
p. 26

01 ⓒ 02 ⓑ
03 ⓐ 04 ⓔ
05 ⓓ 06 말하다, 이야기하다
07 기다리다 08 즐기다
09 우정 10 농담
11 group 12 sorry
13 fun 14 neighbor
15 favor 16 in need
17 make a friend 18 together
19 close 20 play

DAY 04
p. 32

01 ⓓ 02 ⓐ
03 ⓑ 04 ⓒ
05 ⓔ 06 빛나다
07 키가 큰 08 뚱뚱한
09 아름다운 10 사랑스러운
11 small 12 change
13 old 14 curly
15 thin 16 young
17 short 18 wash
19 look like 20 give it a try

DAY 05
p. 38

01 ⓐ 02 ⓓ
03 ⓔ 04 ⓑ
05 ⓒ 06 대담한, 용감한
07 정직한, 솔직한 08 재미있는, 유머러스한
09 영리한 10 현명한
11 smart 12 afraid
13 selfish 14 careful
15 stupid 16 great
17 silent 18 friendly
19 have, in common 20 From now on

DAY 06
p. 44

01 ⓑ 02 ⓒ
03 ⓓ 04 ⓔ
05 ⓐ 06 치과의사
07 기술자, 기사 08 이발사
09 교수 10 변호사
11 designer 12 model
13 chef 14 actor
15 president 16 job
17 come across 18 in the end
19 farmer 20 writer

SECTION 2
몸과 마음 Body & Mind

DAY 07
p. 52

01 ⓔ 02 ⓓ
03 ⓐ 04 ⓒ
05 ⓑ 06 머리
07 입 08 이, 치아
09 턱 10 다리

11 ear
12 toe
13 body
14 tongue
15 shoulder
16 face
17 knee
18 arm
19 grow up
20 Thanks to

DAY 08

p. 58

01 ⓑ
02 ⓐ
03 ⓔ
04 ⓒ
05 ⓓ
06 사용하다, 사용
07 깨다, 깨우다
08 주다
09 일하다, 일, 직장
10 끝내다, 끝나다
11 hold
12 act
13 stand
14 find
15 keep
16 move
17 get up
18 bring
19 lift
20 make fun of

DAY 09

p. 64

01 ⓓ
02 ⓑ
03 ⓒ
04 ⓐ
05 ⓔ
06 보다
07 소리, ~하게 들리다
08 느끼다, ~한 느낌이 들다
09 시끄러운
10 듣다, 들리다
11 soft
12 dark
13 wet
14 thick
15 dry
16 one another
17 bright
18 come up with
19 really
20 touch

DAY 10

p. 70

01 ⓔ
02 ⓑ
03 ⓓ
04 ⓐ
05 ⓒ
06 지루한, 지루해하는
07 느낌, 감정
08 행복한, 기쁜
09 신이 난, 흥분한
10 겁먹은
11 lonely
12 proud
13 sad
14 worry
15 upset
16 thank
17 nervous
18 all the time
19 smile
20 calm down

DAY 11

p. 76

01 ⓐ
02 ⓔ
03 ⓒ
04 ⓑ
05 ⓓ
06 마음, 정신, 영혼
07 원하다, ~하고 싶어하다
08 이해하다
09 기억하다
10 생각하다
11 know
12 guess
13 wonder
14 sure
15 because
16 fact
17 believe in
18 dream
19 decide
20 for sure

DAY 12

p. 82

01 ⓓ
02 ⓒ
03 ⓑ
04 ⓐ
05 ⓔ
06 단어, 말
07 연설, 말
08 대답, 답, 대답하다
09 의사소통, 연락
10 전화하다, 부르다
11 show
12 shout
13 mean
14 discuss
15 explain
16 loudly
17 write
18 For example
19 By the way
20 agree

DAY 13

p. 88

01 ⓑ
02 ⓒ
03 ⓓ
04 ⓔ
05 ⓐ
06 치료하다, 처치하다
07 고통, 아픔
08 아프다, 다치게 하다
09 죽다
10 운동, 운동하다
11 virus
12 weak
13 sick
14 blood
15 health
16 gym
17 watch out for
18 strong
19 sneeze
20 at last

SECTION 3

일상 생활 Daily Life

DAY 14

p. 96

01 ⓓ
02 ⓐ

03 ⓔ
04 ⓑ
05 ⓒ
06 소도시, 마을
07 공원
08 사원, 신전
09 공항
10 정거장, 역
11 church
12 market
13 square
14 reach
15 office
16 place
17 pass by
18 here
19 bakery
20 stop by

DAY 15

p. 102

01 ⓑ
02 ⓐ
03 ⓔ
04 ⓓ
05 ⓒ
06 욕실, 화장실
07 마당, 뜰
08 수영장, 웅덩이
09 출구
10 차고, 주차장
11 bedroom
12 on one's own
13 living room
14 stay
15 floor
16 knock
17 look around
18 roof
19 housework
20 bricks

DAY 16

p. 108

01 ⓔ
02 ⓑ
03 ⓒ
04 ⓐ
05 ⓓ
06 꾸미다, 장식하다
07 거울
08 자석
09 전화, 전화기
10 인형
11 towel
12 bed
13 curtain
14 television
15 drawer
16 calendar
17 such as
18 Turn off
19 album
20 shelf

DAY 17

p. 114

01 ⓔ
02 ⓓ
03 ⓒ
04 ⓑ
05 ⓐ
06 음식
07 설탕
08 굽다
09 섞다, 섞이다
10 밀가루
11 salt
12 vegetable
13 fire
14 fry
15 sauce
16 plate
17 take out
18 cook
19 is made of
20 cut

DAY 18

p. 120

01 ⓔ
02 ⓐ
03 ⓓ
04 ⓒ
05 ⓑ
06 젓가락
07 요리, 접시
08 따르다, 붓다
09 아주 맛있는
10 목이 마른
11 fork
12 juice
13 cup
14 restaurant
15 menu
16 soup
17 take away
18 spoon
19 service
20 right away

DAY 19

p. 126

01 ⓒ
02 ⓑ
03 ⓔ
04 ⓐ
05 ⓓ
06 모자
07 바지
08 옷, 의복
09 시도하다, 해보다, 노력하다
10 장갑
11 scarf
12 boot
13 jacket
14 coat
15 style
16 put on
17 socks
18 belt
19 sweater
20 because of

DAY 20

p. 132

01 ⓐ
02 ⓒ
03 ⓓ
04 ⓑ
05 ⓔ
06 초등의, 기본의
07 규칙
08 학년, 등급
09 졸업하다
10 환영하다
11 school
12 classmate
13 goal
14 subject
15 principal
16 uniform
17 do my best
18 hall
19 Students
20 On his way

DAY 21

p. 138

01 ⓓ
02 ⓔ

03 ⓑ	04 ⓐ
05 ⓒ	06 늦은, 늦게
07 시험	08 결석한
09 강의, 과목	10 연습하다
11 quiz	12 class
13 study	14 review
15 attend	16 on time
17 put up	18 skip
19 wrong	20 homework

DAY 22

p. 144

01 ⓑ	02 ⓔ
03 ⓒ	04 ⓐ
05 ⓓ	06 책상
07 사전	08 풀, 접착제, 붙이다
09 가방	10 칠판, 게시판
11 basket	12 poster
13 scissors	14 flag
15 corner	16 use up
17 write down	18 pen
19 locker	20 textbook

SECTION 4
여가와 문화 Leisure & Culture

DAY 23

p. 152

01 ⓑ	02 ⓒ
03 ⓐ	04 ⓓ
05 ⓔ	06 여행
07 경치, 전망, 보다	08 떠나다, 남기다
09 들어가다	10 추억, 기억
11 camera	12 come
13 arrive	14 ticket
15 return	16 guide
17 dangerous	18 is famous for
19 country	20 take off

DAY 24

p. 158

01 ⓑ	02 ⓐ
03 ⓓ	04 ⓔ
05 ⓒ	06 쓰다, 소비하다
07 할인, 할인하다	08 팔다, 판매하다
09 데려가다, 가져가다	10 낭비하다, 낭비
11 price	12 get
13 expensive	14 popular
15 count	16 for free
17 buy	18 manager
19 on sale	20 carry

DAY 25

p. 164

01 ⓐ	02 ⓒ
03 ⓔ	04 ⓓ
05 ⓑ	06 신나는, 흥미진진한
07 낮잠	08 만화, 만화 영화
09 가입하다, 함께 하다	10 모으다, 수집하다
11 animation	12 hiking
13 drama	14 ride
15 game	16 outdoor
17 bike	18 hobby
19 is interested in	20 give up

DAY 26

p. 170

01 ⓔ	02 ⓑ
03 ⓐ	04 ⓓ
05 ⓒ	06 뛰다, 뛰어오르다, 도약
07 방어하다, 막다	08 경주, 경주하다
09 득점하다, 득점	10 지다, 잃다
11 pass	12 jog
13 sport	14 kick
15 team	16 walk
17 training	18 is proud of
19 work out	20 champion

DAY 27

p. 176

01 ⓒ	02 ⓓ
03 ⓐ	04 ⓔ
05 ⓑ	06 재능, 장기
07 거장, 대가	08 음, 음표, 메모
09 노래	10 붓, 빗질을 하다
11 sketch	12 piano
13 pattern	14 paint
15 wonderful	16 art
17 stage	18 is good at
19 make it	20 concert

DAY 28
p. 182

01 ⓑ
02 ⓓ
03 ⓔ
04 ⓒ
05 ⓐ
06 운이 좋은, 행운의
07 신비로운, 기이한
08 대본, 원고
09 문화
10 평화로운, 평온한
11 adventure
12 musical
13 hunt
14 interesting
15 folk
16 scene
17 famous
18 go on
19 happen
20 Once upon a time

DAY 29
p. 188

01 ⓒ
02 ⓑ
03 ⓓ
04 ⓔ
05 ⓐ
06 축하하다
07 행사, 사건
08 대회, 경쟁
09 박람회, 공정한
10 특별한
11 boat
12 bench
13 band
14 eve
15 cake
16 holiday
17 invite
18 birthday
19 Of course
20 take place

SECTION 5
사물과 상태 Things & Conditions

DAY 30
p. 196

01 ⓔ
02 ⓑ
03 ⓐ
04 ⓓ
05 ⓒ
06 년, 해
07 곧, 머지않아, 빨리
08 일찍, 이른
09 잠깐, 순간, 때
10 저녁
11 afternoon
12 later
13 future
14 tomorrow
15 yesterday
16 minutes
17 morning
18 now
19 One day
20 before long

DAY 31
p. 202

01 ⓑ
02 ⓔ
03 ⓐ
04 ⓒ
05 ⓓ
06 ~ 전에, ~ 앞에, 전에
07 마지막의, 끝의, 계속되다
08 한 번, 이전에, 한때
09 차례, 순서, 돌다, 돌리다
10 더 이상, 이제는
11 twice
12 never
13 almost
14 already
15 sometimes
16 first
17 one by one
18 take turns
19 too
20 often

DAY 32
p. 208

01 ⓒ
02 ⓔ
03 ⓓ
04 ⓐ
05 ⓑ
06 깊은, 깊이, 깊게
07 모양, 형태, 형성하다
08 평평한, 납작한
09 종류, 유형
10 길이
11 diamond
12 side
13 loop
14 size
15 narrow
16 part
17 high
18 useful
19 is filled with
20 make up

DAY 33
p. 214

01 ⓑ
02 ⓒ
03 ⓔ
04 ⓐ
05 ⓓ
06 맑은, 투명한, 분명한
07 자유로운, 무료의
08 가난한, 불쌍한
09 가까이, 단단히, 꽉
10 다른, 여러 가지의
11 perfect
12 dirty
13 same
14 terrible
15 rich
16 fresh
17 at the same time
18 come true
19 slow
20 simple

DAY 34
p. 220

01 ⓒ
02 ⓑ
03 ⓔ
04 ⓐ
05 ⓓ
06 많은
07 약간의, 조금
08 많지 않은, 적은
09 몇몇의, 약간
10 몇몇의, 여러 가지의
11 million
12 half

13 less
14 amount
15 enough
16 up to
17 all
18 is full of
19 more
20 zero

DAY 35

p. 226

01 ⓑ
02 ⓒ
03 ⓓ
04 ⓐ
05 ⓔ
06 위에, 위로
07 ~ 밖에, 밖에, 외부의, 외부
08 ~ 안에
09 앞부분, 앞면, 앞쪽의, 앞의
10 남쪽, 남쪽의, 남쪽으로
11 left
12 near
13 around
14 north
15 middle
16 far
17 between
18 upside down
19 east
20 Get out of

SECTION 6
자연 Nature

DAY 36

p. 234

01 ⓒ
02 ⓓ
03 ⓑ
04 ⓔ
05 ⓐ
06 떨어지다, 가을
07 밭, 들판, 경기장
08 농장
09 숲, 나무, 목재
10 야생의
11 ground
12 flower
13 grain
14 fruit
15 sunlight
16 branch
17 strawberry
18 blocked
19 take care of
20 feel like

DAY 37

p. 240

01 ⓔ
02 ⓐ
03 ⓑ
04 ⓓ
05 ⓒ
06 짖다
07 곰
08 개
09 여우
10 올빼미, 부엉이
11 crocodile
12 duck
13 tiger
14 sheep
15 goose
16 turtle
17 mouse, mouse
18 horse
19 run away
20 come from

DAY 38

p. 246

01 ⓓ
02 ⓑ
03 ⓐ
04 ⓔ
05 ⓒ
06 육지, 땅, 착륙하다
07 대양
08 해변, 바닷가
09 강, 하천
10 대륙
11 polar
12 natural
13 desert
14 earth
15 surface
16 island
17 find out
18 jungle
19 waterfall
20 At first

DAY 39

p. 252

01 ⓔ
02 ⓑ
03 ⓐ
04 ⓓ
05 ⓒ
06 가을
07 바람
08 시원한, 식히다
09 번개
10 겨울
11 rain
12 umbrella
13 shower
14 weather
15 summer
16 seasons
17 humid
18 Clouds
19 these days
20 For a while

DAY 40

p. 258

01 ⓑ
02 ⓐ
03 ⓔ
04 ⓒ
05 ⓓ
06 별
07 재활용
08 구하다, 지키다, 절약하다
09 문제
10 쓰레기
11 nature
12 solar
13 planet
14 energy
15 raw
16 sand
17 destroy
18 Pick up
19 throw away
20 environment

INDEX

A

B

D

E

F

G

H

I

J

K

L

M

Q

R

S

MEMO

MEMO

교과서 및 교육부 권장 어휘 완벽 반영

해커스 보카

중학 기초

초판 6쇄 발행 2024년 4월 8일

초판 1쇄 발행 2020년 10월 21일

지은이	해커스 어학연구소
펴낸곳	(주)해커스 어학연구소
펴낸이	해커스 어학연구소 출판팀
주소	서울특별시 서초구 강남대로61길 23 (주)해커스 어학연구소
고객센터	02-537-5000
교재 관련 문의	publishing@hackers.com 해커스북 사이트(HackersBook.com) 고객센터 Q&A 게시판
동영상강의	star.Hackers.com
ISBN	본책: 978-89-6542-395-9 (54740) 세트: 978-89-6542-394-2 (54740)
Serial Number	01-06-01

해커스 보카

중학 기초

누적 테스트북

해커스 보카

중학 기초

누적 테스트북

누적 테스트 1일차

____ /20

정답 바로 듣기

1	woman	D01
2	prince	D01
3	look for	D01
4	bad	D01
5	adult	D01
6	lady	D01
7	man	D01
8	people	D01
9	person	D01
10	dear	D01
11	child	D01
12	girl	D01
13	show up	D01
14	gentleman	D01
15	husband	D01
16	boy	D01
17	wife	D01
18	age	D01
19	good	D01
20	kid	D01

누적 테스트 2일차

____ /20

정답 바로 듣기

1	couple	D02
2	husband	D01
3	person	D01
4	man	D01
5	home	D02
6	father	D02
7	girl	D01
8	pet	D02
9	uncle	D02
10	show up	D01
11	lady	D01
12	age	D01
13	family	D02
14	son	D02
15	bad	D01
16	daughter	D02
17	teenager	D01
18	baby	D02
19	princess	D01
20	good	D01

누적 테스트 3일차

____ /20

정답 바로 듣기

1	nickname	D03	11	couple	D02
2	group	D03	12	wife	D01
3	grandfather	D02	13	pet	D02
4	lady	D01	14	meet	D03
5	neighbor	D03	15	adult	D01
6	life	D02	16	princess	D01
7	friend	D03	17	in need	D03
8	share	D03	18	secret	D03
9	king	D01	19	look for	D01
10	good	D01	20	parent	D02

누적 테스트 4일차

____ /20

정답 바로 듣기

1	cousin	D02	11	woman	D01
2	nickname	D03	12	princess	D01
3	play	D03	13	young	D04
4	like	D03	14	look for	D01
5	ugly	D04	15	son	D02
6	large	D04	16	cute	D04
7	father	D02	17	fight	D03
8	alone	D03	18	partner	D03
9	boy	D01	19	big	D04
10	lovely	D04	20	enjoy	D03

누적 테스트 5일차

정답 바로 듣기

____ /20

1	partner	D03	11	parent	D02
2	friendly	D05	12	share	D03
3	smart	D05	13	sister	D02
4	handsome	D04	14	tall	D04
5	gentleman	D01	15	joke	D03
6	each other	D02	16	stupid	D05
7	daughter	D02	17	bad	D01
8	live	D02	18	father	D02
9	close	D03	19	prince	D01
10	marry	D02	20	look like	D04

누적 테스트 6일차

정답 바로 듣기

____ /20

1	favor	D03	11	age	D01
2	person	D01	12	family	D02
3	fight	D03	13	child	D01
4	help	D03	14	lovely	D04
5	aunt	D02	15	group	D03
6	joke	D03	16	together	D03
7	large	D04	17	calm	D05
8	from now on	D05	18	selfish	D05
9	daughter	D02	19	uncle	D02
10	lazy	D05	20	job	D06

누적 테스트 7일차

정답 바로 듣기

____/20

1	president	D06
2	tall	D04
3	sister	D02
4	calm	D05
5	kid	D01
6	cute	D04
7	kind	D05
8	knee	D07
9	toe	D07
10	chin	D07
11	wait	D03
12	wash	D04
13	tooth	D07
14	talk	D03
15	grow up	D07
16	child	D01
17	young	D04
18	in need	D03
19	live	D02
20	look like	D04

누적 테스트 8일차

정답 바로 듣기

____/20

1	build	D08
2	bone	D07
3	great	D05
4	large	D04
5	big	D04
6	nice	D04
7	hold	D08
8	wise	D05
9	finish	D08
10	careful	D05
11	family	D02
12	lazy	D05
13	honest	D05
14	name	D01
15	sorry	D03
16	make fun of	D08
17	find	D08
18	sit	D08
19	beautiful	D04
20	professor	D06

누적 테스트 9일차

____ /20

정답 바로 듣기

1	look like	D04	11	aunt	D02
2	grow up	D07	12	taste	D09
3	lazy	D05	13	old	D04
4	shy	D05	14	short	D04
5	dry	D09	15	vet	D06
6	farmer	D06	16	alone	D03
7	engineer	D06	17	stand	D08
8	ear	D07	18	thin	D04
9	young	D04	19	reporter	D06
10	raise	D02	20	joke	D03

누적 테스트 10일차

____ /20

정답 바로 듣기

1	man	D01	11	brave	D05
2	life	D02	12	dentist	D06
3	humorous	D05	13	queen	D01
4	sad	D10	14	curious	D05
5	scared	D10	15	make fun of	D08
6	talk	D03	16	barber	D06
7	come across	D06	17	act	D08
8	bitter	D09	18	see	D09
9	lovely	D04	19	wait	D03
10	teenager	D01	20	designer	D06

누적 테스트 11일차

정답 바로 듣기

____ /20

1	vet	D06
2	ugly	D04
3	heart	D11
4	thanks to	D07
5	share	D03
6	lonely	D10
7	thick	D09
8	sure	D11
9	hear	D09
10	from now on	D05
11	old	D04
12	emotion	D10
13	couple	D02
14	act	D08
15	care for	D02
16	doctor	D06
17	tall	D04
18	fun	D03
19	big	D04
20	remember	D11

누적 테스트 12일차

정답 바로 듣기

____ /20

1	plan	D11
2	for sure	D11
3	twin	D02
4	humorous	D05
5	king	D01
6	speech	D12
7	build	D08
8	lawyer	D06
9	surprised	D10
10	quiet	D05
11	husband	D01
12	lip	D07
13	reporter	D06
14	forget	D11
15	shout	D12
16	also	D11
17	son	D02
18	smile	D10
19	in the end	D06
20	mad	D10

누적 테스트 13일차

____/20

정답 바로 듣기

1	producer	D06
2	thin	D04
3	queen	D01
4	home	D02
5	call	D12
6	cure	D13
7	work	D08
8	loudly	D12
9	polite	D05
10	raise	D02
11	barber	D06
12	sleep	D08
13	keep	D08
14	for sure	D11
15	firefighter	D06
16	knee	D07
17	soul	D11
18	rub	D08
19	shine	D04
20	because	D11

누적 테스트 14일차

____/20

정답 바로 듣기

1	for example	D12
2	sorry	D03
3	grandfather	D02
4	honest	D05
5	bank	D14
6	president	D06
7	face	D07
8	girl	D01
9	ask	D12
10	short	D04
11	pleasure	D10
12	heart	D11
13	health	D13
14	understand	D11
15	pain	D13
16	act	D08
17	humorous	D05
18	need	D11
19	really	D09
20	bone	D07

누적 테스트 15일차

____ /20

정답 바로 듣기

1	nervous	D10
2	boy	D01
3	upset	D10
4	smile	D10
5	gate	D15
6	help	D03
7	woman	D01
8	mind	D11
9	pool	D15
10	mean	D12
11	shoulder	D07
12	exercise	D13
13	basement	D15
14	square	D14
15	firefighter	D06
16	careful	D05
17	market	D14
18	life	D02
19	lift	D08
20	reach	D14

누적 테스트 16일차

____ /20

정답 바로 듣기

1	neck	D07
2	uncle	D02
3	idea	D11
4	emotion	D10
5	table	D16
6	lip	D07
7	write	D12
8	nose	D07
9	wall	D15
10	visit	D14
11	television	D16
12	wife	D01
13	ugly	D04
14	feel	D09
15	care for	D02
16	partner	D03
17	sailor	D06
18	museum	D14
19	clock	D16
20	dentist	D06

누적 테스트 17일차

정답 바로 듣기 ____ /20

1	one another	D09
2	loudly	D12
3	drop	D08
4	boil	D17
5	be made of	D17
6	kid	D01
7	pretty	D04
8	fever	D13
9	work	D08
10	twin	D02
11	show	D12
12	cut	D17
13	brick	D15
14	bright	D09
15	station	D14
16	strong	D13
17	say	D12
18	upset	D10
19	oil	D17
20	sugar	D17

누적 테스트 18일차

정답 바로 듣기 ____ /20

1	bright	D09
2	nervous	D10
3	rest	D13
4	noodle	D17
5	brick	D15
6	turn off	D16
7	knock	D15
8	zoo	D14
9	spoon	D18
10	order	D18
11	president	D06
12	doctor	D06
13	exit	D15
14	eat	D18
15	afraid	D05
16	bold	D05
17	loud	D09
18	raise	D02
19	people	D01
20	exercise	D13

19일차

누적 테스트

정답 바로 듣기

____ /20

1	do	D08	11	question	D12
2	understand	D11	12	want	D11
3	menu	D18	13	skirt	D19
4	loud	D09	14	chin	D07
5	theater	D14	15	brother	D02
6	merry	D10	16	face	D07
7	water	D17	17	wall	D15
8	body	D07	18	pocket	D19
9	knee	D07	19	sour	D09
10	sauce	D17	20	bone	D07

20일차

누적 테스트

정답 바로 듣기

____ /20

1	ask	D12	11	telephone	D16
2	basic	D20	12	dessert	D18
3	thank	D10	13	reporter	D06
4	sweater	D19	14	boil	D17
5	bank	D14	15	heart	D11
6	need	D11	16	neck	D07
7	lift	D08	17	coat	D19
8	drop	D08	18	roof	D15
9	bitter	D09	19	city	D14
10	feeling	D10	20	elementary	D20

누적 테스트 21일차

____/20

No.	Word	Day
1	**because**	D11
2	**each other**	D02
3	**hat**	D19
4	**absent**	D21
5	**talk**	D03
6	**restaurant**	D18
7	**health**	D13
8	**church**	D14
9	**handsome**	D04
10	**hospital**	D13
11	**live**	D02
12	**receive**	D12
13	**stay**	D15
14	**late**	D21
15	**review**	D21
16	**thing**	D16
17	**loudly**	D12
18	**principal**	D20
19	**source**	D21
20	**correct**	D21

누적 테스트 22일차

정답 바로 듣기

____/20

No.	Word	Day
1	**thank**	D10
2	**dream**	D11
3	**stop by**	D14
4	**food**	D17
5	**parent**	D02
6	**map**	D22
7	**reach**	D14
8	**meat**	D17
9	**closet**	D16
10	**professor**	D06
11	**textbook**	D22
12	**use up**	D22
13	**exit**	D15
14	**eraser**	D22
15	**lip**	D07
16	**scientist**	D06
17	**wait**	D03
18	**thick**	D09
19	**learn**	D21
20	**towel**	D16

누적 테스트 23일차

____ /20

정답 바로 듣기

1	touch	D09
2	menu	D18
3	noisy	D09
4	happy	D10
5	ship	D23
6	camera	D23
7	designer	D06
8	cheek	D07
9	cook	D17
10	floor	D15
11	clothes	D19
12	love	D02
13	country	D23
14	drawer	D16
15	travel	D23
16	dress	D19
17	pen	D22
18	need	D11
19	knife	D18
20	chin	D07

누적 테스트 24일차

____ /20

정답 바로 듣기

1	visit	D14
2	meet	D03
3	ruler	D22
4	discount	D24
5	meat	D17
6	take off	D23
7	waste	D24
8	glad	D10
9	arrive	D23
10	book	D22
11	uniform	D20
12	safe	D13
13	straight	D04
14	away	D23
15	buy	D24
16	lawyer	D06
17	corner	D22
18	choose	D24
19	sit	D08
20	think	D11

누적 테스트 25일차

____ /20

정답 바로 듣기

1	on one's way	D20	11	outdoor	D25
2	polite	D05	12	curly	D04
3	turn off	D16	13	secret	D03
4	in need	D03	14	ask	D12
5	professor	D06	15	bike	D25
6	train	D23	16	learn	D21
7	milk	D17	17	sleep	D08
8	pay	D24	18	nice	D04
9	bakery	D14	19	level	D20
10	stand	D08	20	pass by	D14

누적 테스트 26일차

____ /20

정답 바로 듣기

1	honest	D05	11	wrong	D21
2	bright	D09	12	sense	D09
3	noisy	D09	13	tooth	D07
4	closet	D16	14	exciting	D25
5	teacher	D20	15	neighbor	D03
6	finger	D07	16	there	D14
7	jeans	D19	17	champion	D26
8	walk	D26	18	station	D14
9	bed	D16	19	vase	D16
10	pepper	D17	20	safe	D13

누적 테스트 27일차

정답 바로 듣기

____ /20

1	team	D26	11	grade	D20
2	decorate	D16	12	exciting	D25
3	wonder	D11	13	turn off	D16
4	bike	D25	14	art	D27
5	pet	D02	15	king	D01
6	chef	D06	16	floor	D15
7	plate	D17	17	relax	D13
8	hat	D19	18	hobby	D25
9	here	D14	19	make a friend	D03
10	sauce	D17	20	pocket	D19

누적 테스트 28일차

정답 바로 듣기

____ /20

1	think	D11	11	discuss	D12
2	expensive	D24	12	people	D01
3	basement	D15	13	corner	D22
4	interest	D25	14	red	D27
5	defend	D26	15	study	D21
6	action	D28	16	clever	D05
7	clothes	D19	17	subject	D20
8	use	D08	18	teach	D21
9	hope	D11	19	vegetable	D17
10	be good at	D27	20	shelf	D16

누적 테스트 29일차

정답 바로 듣기

____ /20

No.	Word	Day
1	**rule**	D20
2	**ticket**	D23
3	**die**	D13
4	**invite**	D29
5	**cousin**	D02
6	**hospital**	D13
7	**birthday**	D29
8	**scientist**	D06
9	**sing**	D27
10	**wedding**	D29
11	**temple**	D14
12	**record**	D29
13	**believe**	D11
14	**gift**	D29
15	**course**	D21
16	**rub**	D08
17	**cough**	D13
18	**park**	D14
19	**germ**	D13
20	**virus**	D13

누적 테스트 30일차

정답 바로 듣기

____ /20

No.	Word	Day
1	**gym**	D13
2	**hear**	D09
3	**hand**	D07
4	**soon**	D30
5	**future**	D30
6	**swim**	D25
7	**script**	D28
8	**fun**	D03
9	**make it**	D27
10	**excited**	D10
11	**give it a try**	D04
12	**shelf**	D16
13	**headache**	D13
14	**plane**	D23
15	**wall**	D15
16	**take away**	D18
17	**keep**	D08
18	**writer**	D06
19	**mad**	D10
20	**prince**	D01

누적 테스트 31일차

____ /20

정답 바로 듣기

1	doctor	D06
2	culture	D28
3	attend	D21
4	understand	D11
5	thin	D04
6	history	D28
7	face	D07
8	jacket	D19
9	kind	D05
10	already	D31
11	gym	D13
12	follow	D31
13	text	D12
14	also	D11
15	crowd	D29
16	subject	D20
17	shoe	D19
18	delicious	D18
19	hold	D08
20	gentleman	D01

누적 테스트 32일차

____ /20

정답 바로 듣기

1	make a friend	D03
2	jog	D26
3	make fun of	D08
4	chef	D06
5	week	D30
6	dot	D32
7	shine	D04
8	sketch	D27
9	price	D24
10	on one's own	D15
11	too	D31
12	museum	D14
13	bedroom	D15
14	tough	D21
15	huge	D32
16	skip	D21
17	enter	D23
18	one day	D30
19	brother	D02
20	size	D32

누적 테스트 33일차

정답 바로 듣기

____ /20

1	dish	D18	11	evening	D30
2	scare	D28	12	hospital	D13
3	clever	D05	13	fight	D03
4	role	D28	14	wash	D04
5	swim	D25	15	scissors	D22
6	dive	D25	16	wear	D19
7	turn	D31	17	attend	D21
8	form	D32	18	funny	D05
9	come true	D33	19	student	D20
10	fun	D03	20	actor	D06

누적 테스트 34일차

정답 바로 듣기

____ /20

1	pattern	D27	11	terrible	D33
2	noodle	D17	12	swim	D25
3	do	D08	13	colorful	D19
4	turn	D31	14	day	D30
5	popular	D24	15	love	D02
6	old	D04	16	waiter	D18
7	guitar	D27	17	dirty	D33
8	question	D12	18	knife	D18
9	much	D34	19	scared	D10
10	fire	D17	20	greet	D20

누적 테스트 35일차

___ /20

정답 바로 듣기

1	waiter	D18	11	cap	D19
2	treat	D13	12	lucky	D28
3	clothes	D19	13	vegetable	D17
4	peel	D17	14	discuss	D12
5	left	D35	15	such as	D16
6	taste	D09	16	lose	D26
7	get up	D08	17	calm down	D10
8	scientist	D06	18	designer	D06
9	new	D33	19	basket	D22
10	firefighter	D06	20	milk	D17

누적 테스트 36일차

___ /20

정답 바로 듣기

1	museum	D14	11	cut	D17
2	practice	D21	12	leaf	D36
3	vase	D16	13	die	D13
4	housework	D15	14	nothing	D34
5	type	D32	15	soil	D36
6	hall	D20	16	clever	D05
7	car	D23	17	second	D31
8	sunlight	D36	18	graduate	D20
9	happy	D10	19	musical	D28
10	camping	D25	20	come	D23

누적 테스트 — 37일차

_____ /20

정답 바로 듣기

1	speech	D12
2	guitar	D27
3	paint	D27
4	give it a try	D04
5	dear	D01
6	hold	D08
7	subject	D20
8	ride	D25
9	popular	D24
10	sure	D11
11	west	D35
12	candle	D29
13	zebra	D37
14	monkey	D37
15	famous	D28
16	morning	D30
17	farm	D36
18	beautiful	D04
19	bark	D37
20	a few	D34

누적 테스트 — 38일차

_____ /20

정답 바로 듣기

1	fact	D11
2	put on	D19
3	useful	D32
4	red	D27
5	take turns	D31
6	village	D14
7	desert	D38
8	learn	D21
9	jungle	D38
10	guide	D23
11	stage	D27
12	palace	D14
13	week	D30
14	wood	D36
15	continent	D38
16	easy	D21
17	train	D23
18	river	D38
19	land	D38
20	million	D34

누적 테스트 39일차

정답 바로 듣기

____ /20

1	inside	D35	11	wild	D36
2	for free	D24	12	movie	D25
3	be proud of	D26	13	thick	D09
4	congratulate	D29	14	mother	D02
5	scare	D28	15	cheap	D24
6	take care of	D37	16	meal	D18
7	watch	D09	17	polite	D05
8	favor	D03	18	picnic	D29
9	rich	D33	19	square	D14
10	hurry	D33	20	toilet	D16

누적 테스트 40일차

정답 바로 듣기

____ /20

1	second	D31	11	go	D23
2	be full of	D34	12	be good at	D27
3	put on	D19	13	matter	D40
4	wrong	D21	14	graduate	D20
5	cup	D18	15	queen	D01
6	movie	D25	16	behind	D35
7	friendly	D05	17	on	D35
8	cure	D13	18	cap	D19
9	many	D34	19	zoo	D14
10	headache	D13	20	triangle	D32

정답 1일차

정답 바로 듣기

1	woman	여자	D01
2	prince	왕자	D01
3	look for	~를 찾다, 구하다	D01
4	bad	나쁜, 안 좋은	D01
5	adult	어른, 성인	D01
6	lady	여성, 숙녀	D01
7	man	남자	D01
8	people	사람들	D01
9	person	사람, 개인	D01
10	dear	사랑하는, 소중한	D01
11	child	아이, 어린이	D01
12	girl	소녀, 여자아이	D01
13	show up	나타나다	D01
14	gentleman	신사	D01
15	husband	남편	D01
16	boy	소년, 남자아이	D01
17	wife	아내	D01
18	age	나이	D01
19	good	좋은, 훌륭한	D01
20	kid	아이	D01

정답 2일차

정답 바로 듣기

1	couple	부부, 커플, 한 쌍	D02
2	husband	남편	D01
3	person	사람, 개인	D01
4	man	남자	D01
5	home	집, 가정; 집으로, 집에	D02
6	father	아버지, 아빠	D02
7	girl	소녀, 여자아이	D01
8	pet	반려동물	D02
9	uncle	삼촌	D02
10	show up	나타나다	D01
11	lady	여성, 숙녀	D01
12	age	나이	D01
13	family	가족	D02
14	son	아들	D02
15	bad	나쁜, 안 좋은	D01
16	daughter	딸	D02
17	teenager	십 대	D01
18	baby	아기	D02
19	princess	공주	D01
20	good	좋은, 훌륭한	D01

정답 3일차

정답 바로 듣기

1	nickname	별명	D03
2	group	무리, 그룹	D03
3	grandfather	할아버지	D02
4	lady	여성, 숙녀	D01
5	neighbor	이웃	D03
6	life	삶, 인생	D02
7	friend	친구	D03
8	share	나누다, 공유하다	D03
9	king	왕	D01
10	good	좋은, 훌륭한	D01
11	couple	부부, 커플, 한 쌍	D02
12	wife	아내	D01
13	pet	반려동물	D02
14	meet	만나다, 모이다	D03
15	adult	어른, 성인	D01
16	princess	공주	D01
17	in need	어려움에 처한	D03
18	secret	비밀의; 비밀	D03
19	look for	~를 찾다, 구하다	D01
20	parent	부모님	D02

정답 4일차

정답 바로 듣기

1	cousin	사촌	D02
2	nickname	별명	D03
3	play	놀다, (게임·놀이를) 하다	D03
4	like	좋아하다	D03
5	ugly	못생긴	D04
6	large	큰	D04
7	father	아버지, 아빠	D02
8	alone	홀로, 혼자	D03
9	boy	소년, 남자아이	D01
10	lovely	사랑스러운	D04
11	woman	여자	D01
12	princess	공주	D01
13	young	젊은, 어린	D04
14	look for	~를 찾다, 구하다	D01
15	son	아들	D02
16	cute	귀여운	D04
17	fight	싸움; 싸우다	D03
18	partner	짝, 파트너	D03
19	big	큰; 크게	D04
20	enjoy	즐기다	D03

정답

5일차

정답 바로 듣기

1	partner	짝, 파트너	D03
2	friendly	다정한, 친절한	D05
3	smart	똑똑한	D05
4	handsome	잘생긴	D04
5	gentleman	신사	D01
6	each other	서로	D02
7	daughter	딸	D02
8	live	살다; 생생한	D02
9	close	가까운; 닫다	D03
10	marry	결혼하다	D02
11	parent	부모님	D02
12	share	나누다, 공유하다	D03
13	sister	언니, 누나, 여동생	D02
14	tall	키가 큰	D04
15	joke	농담	D03
16	stupid	어리석은	D05
17	bad	나쁜, 안 좋은	D01
18	father	아버지, 아빠	D02
19	prince	왕자	D01
20	look like	~처럼 생기다, 보이다	D04

정답

6일차

정답 바로 듣기

1	favor	호의, 친절	D03
2	person	사람, 개인	D01
3	fight	싸움; 싸우다	D03
4	help	돕다; 도움	D03
5	aunt	고모, 이모	D02
6	joke	농담	D03
7	large	큰	D04
8	from now on	이제부터, 앞으로는	D05
9	daughter	딸	D02
10	lazy	게으른	D05
11	age	나이	D01
12	family	가족	D02
13	child	아이, 어린이	D01
14	lovely	사랑스러운	D04
15	group	무리, 그룹	D03
16	together	함께	D03
17	calm	침착한; 진정시키다	D05
18	selfish	이기적인	D05
19	uncle	삼촌	D02
20	job	직장, 직업	D06

정답

7일차

정답 바로 듣기

1	president	대통령	D06
2	tall	키가 큰	D04
3	sister	언니, 누나, 여동생	D02
4	calm	침착한; 진정시키다	D05
5	kid	아이	D01
6	cute	귀여운	D04
7	kind	친절한; 종류	D05
8	knee	무릎	D07
9	toe	발끝, 발가락	D07
10	chin	턱	D07
11	wait	기다리다	D03
12	wash	씻다, 빨래하다	D04
13	tooth	이, 치아	D07
14	talk	말하다, 이야기하다	D03
15	grow up	성장하다, 자라다	D07
16	child	아이, 어린이	D01
17	young	젊은, 어린	D04
18	in need	어려움에 처한	D03
19	live	살다; 생생한	D02
20	look like	~처럼 생기다, 보이다	D04

정답

8일차

정답 바로 듣기

1	build	짓다, 건설하다	D08
2	bone	뼈	D07
3	great	훌륭한, 큰	D05
4	large	큰	D04
5	big	큰; 크게	D04
6	nice	멋진, 좋은, 친절한	D04
7	hold	잡고 있다, 들다	D08
8	wise	현명한	D05
9	finish	끝내다, 끝나다	D08
10	careful	조심성이 있는, 주의 깊은	D05
11	family	가족	D02
12	lazy	게으른	D05
13	honest	정직한, 솔직한	D05
14	name	이름	D01
15	sorry	미안한, 유감스러운	D03
16	make fun of	~를 놀리다, 비웃다	D08
17	find	찾다, 알아내다	D08
18	sit	앉다	D08
19	beautiful	아름다운	D04
20	professor	교수	D06

정답 9일차

정답 바로 듣기

1	look like	~처럼 생기다, 보이다	D04
2	grow up	성장하다, 자라다	D07
3	lazy	게으른	D05
4	shy	수줍어하는	D05
5	dry	건조한, 마른	D09
6	farmer	농부, 농장주	D06
7	engineer	기술자, 기사	D06
8	ear	귀	D07
9	young	젊은, 어린	D04
10	raise	기르다, 올리다, 높이 들다	D02
11	aunt	고모, 이모	D02
12	taste	맛보다, ~한 맛이 나다	D09
13	old	늙은	D04
14	short	짧은, 키가 작은	D04
15	vet	수의사	D06
16	alone	홀로, 혼자	D03
17	stand	서다, 서 있다	D08
18	thin	마른, 얇은	D04
19	reporter	기자, 리포터	D06
20	joke	농담	D03

정답 10일차

정답 바로 듣기

1	man	남자	D01
2	life	삶, 인생	D02
3	humorous	재미있는, 유머러스한	D05
4	sad	슬픈	D10
5	scared	겁먹은	D10
6	talk	말하다, 이야기하다	D03
7	come across	우연히 마주치다, 발견하다	D06
8	bitter	(맛이) 쓴	D09
9	lovely	사랑스러운	D04
10	teenager	십 대	D01
11	brave	용감한, 용기 있는	D05
12	dentist	치과의사	D06
13	queen	여왕	D01
14	curious	호기심이 많은	D05
15	make fun of	~를 놀리다, 비웃다	D08
16	barber	이발사	D06
17	act	행동하다	D08
18	see	보다	D09
19	wait	기다리다	D03
20	designer	디자이너, 설계자	D06

정답 11일차

정답 바로 듣기

1	vet	수의사	D06
2	ugly	못생긴	D04
3	heart	마음, 심장	D11
4	thanks to	~ 덕분에, 때문에	D07
5	share	나누다, 공유하다	D03
6	lonely	외로운	D10
7	thick	두꺼운, 빽빽한	D09
8	sure	확실한	D11
9	hear	듣다, 들리다	D09
10	from now on	이제부터, 앞으로는	D05
11	old	늙은	D04
12	emotion	감정	D10
13	couple	부부, 커플, 한 쌍	D02
14	act	행동하다	D08
15	care for	~를 돌보다	D02
16	doctor	의사	D06
17	tall	키가 큰	D04
18	fun	즐거운, 재미있는; 즐거움	D03
19	big	큰; 크게	D04
20	remember	기억하다	D11

정답 12일차

정답 바로 듣기

1	plan	계획; 계획하다	D11
2	for sure	확실히	D11
3	twin	쌍둥이	D02
4	humorous	재미있는, 유머러스한	D05
5	king	왕	D01
6	speech	연설, 말	D12
7	build	짓다, 건설하다	D08
8	lawyer	변호사	D06
9	surprised	놀란	D10
10	quiet	조용한	D05
11	husband	남편	D01
12	lip	입술	D07
13	reporter	기자, 리포터	D06
14	forget	잊다	D11
15	shout	소리치다, 외치다	D12
16	also	또한, ~도	D11
17	son	아들	D02
18	smile	미소 짓다; 미소	D10
19	in the end	마침내, 결국	D06
20	mad	몹시 화가 난	D10

정답

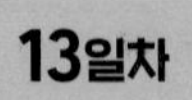

정답 바로 듣기

1	**producer**	제작자	D06
2	**thin**	마른, 얇은	D04
3	**queen**	여왕	D01
4	**home**	집, 가정; 집으로, 집에	D02
5	**call**	전화하다, 부르다	D12
6	**cure**	치료하다, 낫게 하다	D13
7	**work**	일하다; 일, 직장	D08
8	**loudly**	큰 소리로	D12
9	**polite**	예의 바른	D05
10	**raise**	기르다, 올리다, 높이 들다	D02
11	**barber**	이발사	D06
12	**sleep**	잠을 자다; 잠, 수면	D08
13	**keep**	계속하다, 가지고 있다	D08
14	**for sure**	확실히	D11
15	**firefighter**	소방관	D06
16	**knee**	무릎	D07
17	**soul**	마음, 정신, 영혼	D11
18	**rub**	문지르다, 비비다	D08
19	**shine**	빛나다	D04
20	**because**	~하기 때문에	D11

정답

14일차

정답 바로 듣기

1	**for example**	예를 들어	D12
2	**sorry**	미안한, 유감스러운	D03
3	**grandfather**	할아버지	D02
4	**honest**	정직한, 솔직한	D05
5	**bank**	은행	D14
6	**president**	대통령	D06
7	**face**	얼굴	D07
8	**girl**	소녀, 여자아이	D01
9	**ask**	묻다, 물어보다	D12
10	**short**	짧은, 키가 작은	D04
11	**pleasure**	기쁨	D10
12	**heart**	마음, 심장	D11
13	**health**	건강	D13
14	**understand**	이해하다	D11
15	**pain**	고통, 아픔	D13
16	**act**	행동하다	D08
17	**humorous**	재미있는, 유머러스한	D05
18	**need**	필요로 하다; 필요	D11
19	**really**	아주, 정말, 실제로	D09
20	**bone**	뼈	D07

정답 15일차

정답 바로 듣기

1	**nervous**	긴장한, 불안한	D10
2	**boy**	소년, 남자아이	D01
3	**upset**	속상한	D10
4	**smile**	미소 짓다; 미소	D10
5	**gate**	대문	D15
6	**help**	돕다; 도움	D03
7	**woman**	여자	D01
8	**mind**	생각, 마음	D11
9	**pool**	수영장, 웅덩이	D15
10	**mean**	의미하다, 의도하다	D12
11	**shoulder**	어깨	D07
12	**exercise**	운동; 운동하다	D13
13	**basement**	지하실, 지하층	D15
14	**square**	광장, 정사각형	D14
15	**firefighter**	소방관	D06
16	**careful**	조심성이 있는, 주의 깊은	D05
17	**market**	시장, 장	D14
18	**life**	삶, 인생	D02
19	**lift**	들어올리다	D08
20	**reach**	도착하다, (손을) 뻗다	D14

정답 16일차

정답 바로 듣기

1	**neck**	목	D07
2	**uncle**	삼촌	D02
3	**idea**	생각, 발상	D11
4	**emotion**	감정	D10
5	**table**	탁자, 식탁	D16
6	**lip**	입술	D07
7	**write**	(글자·책·편지를) 쓰다	D12
8	**nose**	코	D07
9	**wall**	벽, 담	D15
10	**visit**	방문하다, 찾아가다; 방문	D14
11	**television**	텔레비전	D16
12	**wife**	아내	D01
13	**ugly**	못생긴	D04
14	**feel**	느끼다, ~한 느낌[기분]이 들다	D09
15	**care for**	~를 돌보다	D02
16	**partner**	짝, 파트너	D03
17	**sailor**	선원, 뱃사람	D06
18	**museum**	박물관, 미술관	D14
19	**clock**	시계	D16
20	**dentist**	치과의사	D06

정답

정답 바로 듣기

1	one another	서로	D09
2	loudly	큰 소리로	D12
3	drop	떨어뜨리다, 떨어지다	D08
4	boil	끓이다, 끓다	D17
5	be made of	~으로 만들어지다, 구성되다	D17
6	kid	아이	D01
7	pretty	예쁜; 꽤, 아주	D04
8	fever	열	D13
9	work	일하다; 일, 직장	D08
10	twin	쌍둥이	D02
11	show	보여주다; 공연	D12
12	cut	자르다	D17
13	brick	벽돌	D15
14	bright	밝은, 빛나는	D09
15	station	정거장, 역	D14
16	strong	강한, 힘이 센	D13
17	say	(~이라고) 말하다	D12
18	upset	속상한	D10
19	oil	기름, 식용유	D17
20	sugar	설탕	D17

정답

18일차

정답 바로 듣기

1	bright	밝은, 빛나는	D09
2	nervous	긴장한, 불안한	D10
3	rest	쉬다, 휴식하다; 휴식	D13
4	noodle	국수, 면	D17
5	brick	벽돌	D15
6	turn off	(전기·가스·수도 등을) 끄다, 잠그다	D16
7	knock	(문을) 두드리다, 노크하다; 노크	D15
8	zoo	동물원	D14
9	spoon	숟가락, 스푼	D18
10	order	주문하다; 주문	D18
11	president	대통령	D06
12	doctor	의사	D06
13	exit	출구	D15
14	eat	먹다, 식사하다	D18
15	afraid	무서워하는, 두려워하는	D05
16	bold	대담한, 용감한	D05
17	loud	(소리가) 큰, 시끄러운	D09
18	raise	기르다, 올리다, 높이 들다	D02
19	people	사람들	D01
20	exercise	운동; 운동하다	D13

정답

19일차

정답 바로 듣기

1	**do**	하다	D08
2	**understand**	이해하다	D11
3	**menu**	메뉴, 식단표	D18
4	**loud**	(소리가) 큰, 시끄러운	D09
5	**theater**	극장	D14
6	**merry**	즐거운	D10
7	**water**	물; 물을 주다	D17
8	**body**	몸, 신체	D07
9	**knee**	무릎	D07
10	**sauce**	소스	D17
11	**question**	질문; 질문하다	D12
12	**want**	원하다, ~하고 싶어하다	D11
13	**skirt**	치마	D19
14	**chin**	턱	D07
15	**brother**	오빠, 형, 남동생	D02
16	**face**	얼굴	D07
17	**wall**	벽, 담	D15
18	**pocket**	주머니	D19
19	**sour**	(맛이) 신	D09
20	**bone**	뼈	D07

정답

20일차

정답 바로 듣기

1	**ask**	묻다, 물어보다	D12
2	**basic**	기초적인, 기본적인	D20
3	**thank**	감사하다, 고마워하다	D10
4	**sweater**	스웨터	D19
5	**bank**	은행	D14
6	**need**	필요로 하다; 필요	D11
7	**lift**	들어올리다	D08
8	**drop**	떨어뜨리다, 떨어지다	D08
9	**bitter**	(맛이) 쓴	D09
10	**feeling**	느낌, 감정	D10
11	**telephone**	전화, 전화기	D16
12	**dessert**	디저트, 후식	D18
13	**reporter**	기자, 리포터	D06
14	**boil**	끓이다, 끓다	D17
15	**heart**	마음, 심장	D11
16	**neck**	목	D07
17	**coat**	코트, 윗옷	D19
18	**roof**	지붕	D15
19	**city**	도시	D14
20	**elementary**	초등의, 기본의	D20

정답 21일차

정답 바로 듣기

No.	Word	Meaning	Day
1	**because**	~하기 때문에	D11
2	**each other**	서로	D02
3	**hat**	모자	D19
4	**absent**	결석한	D21
5	**talk**	말하다, 이야기하다	D03
6	**restaurant**	레스토랑, 음식점	D18
7	**health**	건강	D13
8	**church**	교회	D14
9	**handsome**	잘생긴	D04
10	**hospital**	병원	D13
11	**live**	살다; 생생한	D02
12	**receive**	받다	D12
13	**stay**	머무르다, 지내다	D15
14	**late**	늦은; 늦게	D21
15	**review**	복습하다, 재검토하다	D21
16	**thing**	물건, 것	D16
17	**loudly**	큰 소리로	D12
18	**principal**	교장	D20
19	**source**	출처, 원천, 근원	D21
20	**correct**	옳은, 정확한	D21

정답 22일차

정답 바로 듣기

No.	Word	Meaning	Day
1	**thank**	감사하다, 고마워하다	D10
2	**dream**	꿈; 꿈을 꾸다	D11
3	**stop by**	잠시 들르다	D14
4	**food**	음식	D17
5	**parent**	부모님	D02
6	**map**	지도	D22
7	**reach**	도착하다, (손을) 뻗다	D14
8	**meat**	고기	D17
9	**closet**	옷장, 벽장	D16
10	**professor**	교수	D06
11	**textbook**	교과서	D22
12	**use up**	~을 다 쓰다	D22
13	**exit**	출구	D15
14	**eraser**	지우개	D22
15	**lip**	입술	D07
16	**scientist**	과학자	D06
17	**wait**	기다리다	D03
18	**thick**	두꺼운, 빽빽한	D09
19	**learn**	배우다	D21
20	**towel**	수건, 타월	D16

정답

23일차

정답 바로 듣기

1	touch	만지다, 건드리다	D09	11	clothes	옷, 의복	D19
2	menu	메뉴, 식단표	D18	12	love	사랑; 사랑하다	D02
3	noisy	시끄러운	D09	13	country	나라, 국가	D23
4	happy	행복한, 기쁜	D10	14	drawer	서랍	D16
5	ship	(큰) 배	D23	15	travel	여행하다; 여행	D23
6	camera	카메라, 사진기	D23	16	dress	원피스, 드레스	D19
7	designer	디자이너, 설계자	D06	17	pen	펜	D22
8	cheek	볼	D07	18	need	필요로 하다; 필요	D11
9	cook	요리하다; 요리사	D17	19	knife	칼	D18
10	floor	바닥, (건물의) 층	D15	20	chin	턱	D07

정답

24일차

정답 바로 듣기

1	visit	방문하다, 찾아가다; 방문	D14	11	uniform	교복, 유니폼	D20
2	meet	만나다, 모이다	D03	12	safe	안전한	D13
3	ruler	(길이를 재는) 자	D22	13	straight	곧은; 똑바로	D04
4	discount	할인; 할인하다	D24	14	away	떨어져, 다른 곳으로	D23
5	meat	고기	D17	15	buy	사다, 구입하다	D24
6	take off	(비행기가) 이륙하다, (옷을) 벗다	D23	16	lawyer	변호사	D06
7	waste	낭비하다; 낭비	D24	17	corner	구석, 모퉁이, 모서리	D22
8	glad	기쁜, 반가운	D10	18	choose	고르다, 선택하다	D24
9	arrive	도착하다	D23	19	sit	앉다	D08
10	book	책	D22	20	think	생각하다	D11

정답

25일차

정답 바로 듣기

1	**on one's way**	~로 가는 길에, 가는 도중에	D20
2	**polite**	예의 바른	D05
3	**turn off**	(전기·가스·수도 등을) 끄다, 잠그다	D16
4	**in need**	어려움에 처한	D03
5	**professor**	교수	D06
6	**train**	기차, 열차	D23
7	**milk**	우유	D17
8	**pay**	계산하다, (돈을) 내다	D24
9	**bakery**	빵집	D14
10	**stand**	서다, 서 있다	D08
11	**outdoor**	야외의, 집 밖의	D25
12	**curly**	곱슬곱슬한	D04
13	**secret**	비밀의; 비밀	D03
14	**ask**	묻다, 물어보다	D12
15	**bike**	자전거	D25
16	**learn**	배우다	D21
17	**sleep**	잠을 자다; 잠, 수면	D08
18	**nice**	멋진, 좋은, 친절한	D04
19	**level**	수준, 단계	D20
20	**pass by**	옆을 지나다, 지나치다	D14

정답

26일차

정답 바로 듣기

1	**honest**	정직한, 솔직한	D05
2	**bright**	밝은, 빛나는	D09
3	**noisy**	시끄러운	D09
4	**closet**	옷장, 벽장	D16
5	**teacher**	선생님, 교사	D20
6	**finger**	손가락	D07
7	**jeans**	청바지	D19
8	**walk**	걷다, 산책하다, 산책시키다	D26
9	**bed**	침대	D16
10	**pepper**	후추	D17
11	**wrong**	틀린, 잘못된	D21
12	**sense**	감각; 느끼다	D09
13	**tooth**	이, 치아	D07
14	**exciting**	신나는, 흥미진진한	D25
15	**neighbor**	이웃	D03
16	**there**	그곳에, 그곳으로	D14
17	**champion**	챔피언, 우승자	D26
18	**station**	정거장, 역	D14
19	**vase**	꽃병	D16
20	**safe**	안전한	D13

정답 27일차

정답 바로 듣기

1	team	팀, 조	D26
2	decorate	꾸미다, 장식하다	D16
3	wonder	궁금해하다, 궁금하다	D11
4	bike	자전거	D25
5	pet	반려동물	D02
6	chef	요리사	D06
7	plate	접시, 요리	D17
8	hat	모자	D19
9	here	여기에, 여기로	D14
10	sauce	소스	D17
11	grade	학년, 등급	D20
12	exciting	신나는, 흥미진진한	D25
13	turn off	(전기·가스·수도 등을) 끄다, 잠그다	D16
14	art	예술, 미술	D27
15	king	왕	D01
16	floor	바닥, (건물의) 층	D15
17	relax	편히 쉬다, 휴식을 취하다	D13
18	hobby	취미	D25
19	make a friend	친구를 사귀다	D03
20	pocket	주머니	D19

정답 28일차

정답 바로 듣기

1	think	생각하다	D11
2	expensive	비싼, 돈이 많이 드는	D24
3	basement	지하실, 지하층	D15
4	interest	관심, 흥미	D25
5	defend	방어하다, 막다	D26
6	action	행동, 활동	D28
7	clothes	옷, 의복	D19
8	use	사용하다; 사용	D08
9	hope	바라다; 희망	D11
10	be good at	~을 잘하다	D27
11	discuss	논의하다	D12
12	people	사람들	D01
13	corner	구석, 모퉁이, 모서리	D22
14	red	빨간; 빨간색	D27
15	study	공부하다; 공부	D21
16	clever	영리한	D05
17	subject	과목, 주제, 테마	D20
18	teach	가르치다	D21
19	vegetable	채소	D17
20	shelf	선반	D16

정답 29일차

정답 바로 듣기

1	rule	규칙	D20
2	ticket	표, 입장권, 승차권	D23
3	die	죽다	D13
4	invite	초대하다	D29
5	cousin	사촌	D02
6	hospital	병원	D13
7	birthday	생일	D29
8	scientist	과학자	D06
9	sing	노래하다	D27
10	wedding	결혼식, 혼례	D29
11	temple	사원, 신전	D14
12	record	기록하다; 기록	D29
13	believe	믿다	D11
14	gift	선물	D29
15	course	강의, 과목	D21
16	rub	문지르다, 비비다	D08
17	cough	기침하다; 기침	D13
18	park	공원	D14
19	germ	세균	D13
20	virus	(병을 일으키는) 바이러스	D13

정답 30일차

정답 바로 듣기

1	gym	체육관	D13
2	hear	듣다, 들리다	D09
3	hand	손; 건네주다	D07
4	soon	곧, 머지않아, 빨리	D30
5	future	미래; 미래의	D30
6	swim	수영하다, 헤엄치다	D25
7	script	대본, 원고	D28
8	fun	즐거운, 재미있는; 즐거움	D03
9	make it	성공하다, 해내다	D27
10	excited	신이 난, 흥분한	D10
11	give it a try	한번 해보다, 시도하다	D04
12	shelf	선반	D16
13	headache	두통	D13
14	plane	비행기	D23
15	wall	벽, 담	D15
16	take away	치우다, 빼앗다	D18
17	keep	계속하다, 가지고 있다	D08
18	writer	작가	D06
19	mad	몹시 화가 난	D10
20	prince	왕자	D01

정답

31일차

정답 바로 듣기

1	**doctor**	의사	D06	11	**gym**	체육관	D13
2	**culture**	문화	D28	12	**follow**	따라가다, 뒤를 잇다	D31
3	**attend**	출석하다, 참석하다	D21	13	**text**	문자를 보내다; 글, 본문	D12
4	**understand**	이해하다	D11	14	**also**	또한, ~도	D11
5	**thin**	마른, 얇은	D04	15	**crowd**	무리, 군중; 붐비다	D29
6	**history**	역사	D28	16	**subject**	과목, 주제, 테마	D20
7	**face**	얼굴	D07	17	**shoe**	신발, 구두	D19
8	**jacket**	재킷, 윗옷	D19	18	**delicious**	아주 맛있는	D18
9	**kind**	친절한; 종류	D05	19	**hold**	잡고 있다, 들다	D08
10	**already**	이미, 벌써	D31	20	**gentleman**	신사	D01

정답

32일차

정답 바로 듣기

1	**make a friend**	친구를 사귀다	D03	11	**too**	너무, 또한, 게다가	D31
2	**jog**	조깅하다	D26	12	**museum**	박물관, 미술관	D14
3	**make fun of**	~를 놀리다, 비웃다	D08	13	**bedroom**	침실	D15
4	**chef**	요리사	D06	14	**tough**	힘든, 어려운	D21
5	**week**	일주일, 주	D30	15	**huge**	거대한, 엄청난	D32
6	**dot**	점	D32	16	**skip**	빠지다, 빼먹다, 건너뛰다	D21
7	**shine**	빛나다	D04	17	**enter**	들어가다	D23
8	**sketch**	스케치, 밑그림; 스케치하다	D27	18	**one day**	언젠가, 어느 날	D30
9	**price**	가격, 값	D24	19	**brother**	오빠, 형, 남동생	D02
10	**on one's own**	혼자 힘으로, 스스로	D15	20	**size**	크기, 규모	D32

정답

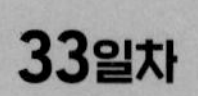

33일차

정답 바로 듣기

1	**dish**	요리, 접시	D18
2	**scare**	겁주다	D28
3	**clever**	영리한	D05
4	**role**	역할, 배역	D28
5	**swim**	수영하다, 헤엄치다	D25
6	**dive**	(물속으로) 뛰어들다, 잠수하다	D25
7	**turn**	차례, 순서; 돌다, 돌리다	D31
8	**form**	모양, 형태; 형성하다	D32
9	**come true**	이루어지다, 실현되다	D33
10	**fun**	즐거운, 재미있는; 즐거움	D03
11	**evening**	저녁	D30
12	**hospital**	병원	D13
13	**fight**	싸움; 싸우다	D03
14	**wash**	씻다, 빨래하다	D04
15	**scissors**	가위	D22
16	**wear**	쓰고[입고/신고] 있다	D19
17	**attend**	출석하다, 참석하다	D21
18	**funny**	웃긴, 재미있는	D05
19	**student**	학생	D20
20	**actor**	배우	D06

정답

34일차

정답 바로 듣기

1	**pattern**	무늬, 패턴	D27
2	**noodle**	국수, 면	D17
3	**do**	하다	D08
4	**turn**	차례, 순서; 돌다, 돌리다	D31
5	**popular**	인기 있는	D24
6	**old**	늙은	D04
7	**guitar**	기타	D27
8	**question**	질문; 질문하다	D12
9	**much**	많은; 많이, 매우	D34
10	**fire**	불, 화재	D17
11	**terrible**	끔찍한, 심한, 지독한	D33
12	**swim**	수영하다, 헤엄치다	D25
13	**colorful**	다채로운, 색채가 풍부한	D19
14	**day**	일, 하루, 낮	D30
15	**love**	사랑; 사랑하다	D02
16	**waiter**	종업원, 웨이터	D18
17	**dirty**	더러운	D33
18	**knife**	칼	D18
19	**scared**	겁먹은	D10
20	**greet**	인사하다, 환영하다	D20

정답

35일차

정답 바로 듣기

1	waiter	종업원, 웨이터	D18
2	treat	치료하다, 처치하다	D13
3	clothes	옷, 의복	D19
4	peel	껍질을 벗기다; 껍질	D17
5	left	왼쪽의; 왼쪽으로	D35
6	taste	맛보다, ~한 맛이 나다	D09
7	get up	(앉거나 누워 있다가) 일어나다	D08
8	scientist	과학자	D06
9	new	새로운, 새	D33
10	firefighter	소방관	D06
11	cap	(앞부분에 챙이 달린) 모자	D19
12	lucky	운이 좋은, 행운의	D28
13	vegetable	채소	D17
14	discuss	논의하다	D12
15	such as	~과 같은	D16
16	lose	지다, 잃다	D26
17	calm down	진정하다, 진정시키다	D10
18	designer	디자이너, 설계자	D06
19	basket	바구니	D22
20	milk	우유	D17

정답

36일차

정답 바로 듣기

1	museum	박물관, 미술관	D14
2	practice	연습하다	D21
3	vase	꽃병	D16
4	housework	집안일, 가사	D15
5	type	종류, 유형	D32
6	hall	복도, 강당	D20
7	car	자동차	D23
8	sunlight	햇빛	D36
9	happy	행복한, 기쁜	D10
10	camping	캠핑, 야영	D25
11	cut	자르다	D17
12	leaf	잎	D36
13	die	죽다	D13
14	nothing	아무것도 (~ 아니다, 없다)	D34
15	soil	흙, 토양	D36
16	clever	영리한	D05
17	second	두 번째의; 두 번째로	D31
18	graduate	졸업하다	D20
19	musical	음악적인, 음악의; 뮤지컬	D28
20	come	오다	D23

정답 37일차

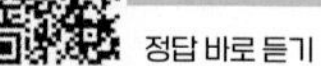
정답 바로 듣기

1	speech	연설, 말	D12
2	guitar	기타	D27
3	paint	물감, 페인트; 색칠하다	D27
4	give it a try	한번 해보다, 시도하다	D04
5	dear	사랑하는, 소중한	D01
6	hold	잡고 있다, 들다	D08
7	subject	과목, 주제, 테마	D20
8	ride	(탈것을) 타다, 타고 가다	D25
9	popular	인기 있는	D24
10	sure	확실한	D11
11	west	서쪽; 서쪽의; 서쪽으로	D35
12	candle	양초, 초	D29
13	zebra	얼룩말	D37
14	monkey	원숭이	D37
15	famous	유명한	D28
16	morning	아침, 오전	D30
17	farm	농장	D36
18	beautiful	아름다운	D04
19	bark	짖다	D37
20	a few	몇몇의, 약간	D34

정답 38일차

정답 바로 듣기

1	fact	사실	D11
2	put on	~을 입다[쓰다/신다]	D19
3	useful	유용한, 도움이 되는	D32
4	red	빨간; 빨간색	D27
5	take turns	번갈아 하다, 순서대로 하다	D31
6	village	마을	D14
7	desert	사막	D38
8	learn	배우다	D21
9	jungle	정글, 밀림	D38
10	guide	가이드, 안내서; 안내하다	D23
11	stage	무대	D27
12	palace	궁전	D14
13	week	일주일, 주	D30
14	wood	숲, 나무, 목재	D36
15	continent	대륙	D38
16	easy	쉬운	D21
17	train	기차, 열차	D23
18	river	강, 하천	D38
19	land	육지, 땅; 착륙하다	D38
20	million	백만의; 백만	D34

정답 39일차

정답 바로 듣기

1	inside	~ 안에; 안에; 내부의; 내부	D35	11	wild	야생의	D36
2	for free	무료로, 공짜로	D24	12	movie	영화	D25
3	be proud of	~을 자랑스러워하다	D26	13	thick	두꺼운, 빽빽한	D09
4	congratulate	축하하다	D29	14	mother	어머니, 엄마	D02
5	scare	겁주다	D28	15	cheap	싼, 저렴한	D24
6	take care of	~을 돌보다, ~에 신경쓰다	D37	16	meal	식사, 끼니	D18
7	watch	보다, 지켜보다; 손목시계	D09	17	polite	예의 바른	D05
8	favor	호의, 친절	D03	18	picnic	소풍, 피크닉	D29
9	rich	부유한, 풍부한	D33	19	square	광장, 정사각형	D14
10	hurry	서두르다, 급하게 하다; 서두름, 급함	D33	20	toilet	변기, 화장실	D16

정답 40일차

정답 바로 듣기

1	second	두 번째의; 두 번째로	D31	11	go	가다	D23
2	be full of	~으로 가득 차다	D34	12	be good at	~을 잘하다	D27
3	put on	~을 입다[쓰다/신다]	D19	13	matter	물질, 문제	D40
4	wrong	틀린, 잘못된	D21	14	graduate	졸업하다	D20
5	cup	컵, 잔	D18	15	queen	여왕	D01
6	movie	영화	D25	16	behind	~ 뒤에; 뒤에, 뒤떨어져	D35
7	friendly	다정한, 친절한	D05	17	on	~ 위에	D35
8	cure	치료하다, 낫게 하다	D13	18	cap	(앞부분에 챙이 달린) 모자	D19
9	many	많은, 다수의	D34	19	zoo	동물원	D14
10	headache	두통	D13	20	triangle	삼각형	D32

MEMO

MEMO

해커스 보카 중학 기초

누적 테스트북

추가 자료

해커스북(HackersBook.com)에서
본 교재에 대한 다양한
추가 학습 자료를 이용하세요!